浙江卷 | 江溶主编

张黎明、韩舒等编著

山水中国

段宝林 江溶 主编

浙江卷

北京大学出版社
PEKING UNIVERSITY PRESS

图书在版编目(CIP)数据

山水中国·浙江卷/段宝林,江溶主编 .—北京:北京大学出版社,2005.1
ISBN 7-301-08251-7

Ⅰ.山… Ⅱ.①段…②江… Ⅲ.①风景区-简介-浙江省②名胜古迹-简介-浙江省 Ⅳ.K928.70

中国版本图书馆 CIP 数据核字(2004)第 140781 号

书 名:山水中国·浙江卷
著作责任者:段宝林 江 溶 主编
责 任 编 辑:艾 英
标 准 书 号:ISBN 7-301-08251-7/G·1333
出 版 发 行:北京大学出版社
地 址:北京市海淀区中关村北京大学校内 100871
网 址:http://cbs.pku.edu.cn 电子信箱:zpup@pup.pku.edu.cn
电 话:邮购部 62752015 发行部 62750672 编辑部 62752022
排 版 者:北京奇文云海文化传播有限公司
印 刷 者:河北三河新世纪印务有限公司
经 销 者:新华书店
650mm×980mm 16 开本 19 印张 280 千字
2005 年 1 月第 1 版 2006 年 9 月第 3 次印刷
定 价:32.00 元

浙江卷

丛书主编　段宝林　江　溶
本卷主编　江　溶
本卷撰稿　张黎明

（绍兴之旅；杭州之旅；富春江－新安江之旅；宁波－普陀山之旅；雁荡山－楠溪江之旅）

韩　舒

（绍兴之旅：绍兴、禹王庙、兰亭、秋瑾故居、徐社、陶社、鉴湖、五泻山；杭州之旅：西湖十景、保俶塔、王国维故居、南浔、乌镇、西塘；富春江－新安江之旅：富阳、桐庐、淳安、诸葛村、武义古村；宁波－普陀山之旅：新昌；雁荡山－楠溪江之旅：楠溪江、泰顺、大洛古村、石塘）

黄　薇

（绍兴之旅：绍兴；杭州之旅：良渚文化遗址、河姆渡文化遗址）

徐明霞

（宁波－普陀山之旅：蒋介石故居）

本卷主摄影　罗哲文　李玉祥　林胜利

从中国山水到山水中国

□ 江溶

经过几载的劳作,《山水中国》与读者朋友见面了。

这套丛书有两个关键词:一是"山水故事",一是"山水情怀"。

山山水水背后"故事"的丰富多彩,是中国山水的主要特色。由于悠久的文明与历史积累,长期的农耕生活陶冶,使得我国山水背后的"故事"特别多,亦即是说,人文景观特别丰富,历史文化的积淀特别深厚。

山水故事与旅游质量的关系极大。古人曾把山水审美分为"应目、会心、畅神"三个精神层次。应目,即指山水的形象、色彩、音响等形式美给感官以愉悦。会心,是说欣赏者与山水达到情景交融、物我相亲。畅神,是山水审美的最高境界,即是游心物外、物我两忘,在生命的本原上求得与宇宙生命的融合与超越。怎样达到畅神的审美境界呢? 山水故事是重要的动力、媒介和思想库。当你面对奇山异水惊诧莫名或在残庙断碑前茫然寻思之时,一首古人的山水诗可能沟通你和景物间的"灵犀",一个历史掌故可能为你打开厚重的历史帷幕,让你尽享发现的喜悦,让你"千古兴亡,百年悲欢,一时登览"……

正是为了帮助读者朋友在旅游中获得更多的精神财富,本丛书熔景观审美、掌故传说、山水诗文和风土人情于一炉,送大家一本

"山水故事大全"。

山水情怀，是我国先民在长期农耕社会中形成的一种特殊的文化心态。

这种情怀，表现于同自然山水的关系上，就是登山则情满于山，观海则情溢于海的"林泉之心"。即如王羲之，"游名山，观沧海，叹曰'我卒当以乐死'"；如辛弃疾，"我见青山多妩媚，料青山见我应如是"……

这种情怀，表现于日常生活，就是情趣化、艺术化。《世说新语》载："王子猷尝暂寄人空宅住，便令种竹。或问：'暂住何烦尔？'王啸咏良久，直指竹曰：'何可一日无此君！'"郑板桥"十笏茅斋，一方天井，修竹数竿，石笋数尺"，贫寒之中收获精神的富足："风中雨中有声，日中月中有影，诗中酒中有情，闲中闷中有伴"。居室之外，亦无处不是情思：雪后寻梅，霜前访菊；望秋云，神飞扬，临秋风，思浩荡；"谁与同座，明月、清风、我"……

这种情怀，表现于对人生和社会的态度，就是"不以物喜，不以己悲"的礼乐心境。即如范仲淹，"先天下之忧而忧，后天下之乐而乐"；如杜甫，"安得广厦千万间，大庇天下寒士俱欢颜"……

数千年来，这种情怀，不仅使许多社会个体获得特别丰富的人生，也使中国秉有一种令世界羡慕的特别美丽的文化精神。

这种情怀，这种文化精神，在人被工具理性异化为生物标本、精神世界被分割为七零八落的文明碎片的现代社会，无疑有着特别的意义。本丛书定名"山水中国"，就是意在呼唤这种情怀和这种精神的回归。我们希望它能成为新世纪国人文化寻根途中一片心灵的绿洲，一泓精神的清泉。

最后，我想说的是，本丛书能以现在这样的面目问世，是许多同道和朋友共同努力的结果。特别是为保护文化遗产踏遍青山的罗哲文先生和顾梽、李玉祥、吴荫南、李翔德等著名摄影家提供了大量文物古迹和山水艺术图片，为本丛书增添了浓郁的古典诗意；河北教育出版社邓志平、张子康二位同道提供了诸多现代山水名作，更为本丛书倡导的山水情怀作了最好的现代诠释。在此，我要向他们，同时也向所有为本丛书付出辛劳和关爱的朋友们致以衷心的谢忱。

二○○四年冬

于北京大学寒暑斋

[目录]

《山水中国》总序
卷首语

目录

"日出红花红胜火，春来江水绿如蓝。"浙江是和水联系在一起的。

杭州湾温润的季风和丰沛的雨水，给浙地以灵秀，给先民以智慧。于是，就有了河姆渡中国乃至世界上最古老的稻作遗址，良渚精光内敛、坚贞温润的玉璧，越窑、哥窑、龙泉窑润泽如婴儿肌肤的青瓷，以及余杭让整个欧洲为之倾倒的丝绸；就有了西子湖的杏花春雨，富春江的渔歌晚唱，雁荡山的烂漫山花，楠溪江的水墨村庄；也就有了杭州的空前繁华和柳永那首令金主完颜亮顿生南下"投鞭断流"之想的《望海潮》："东南形胜，三吴都会，钱塘自古繁华……"

也是因为有了水，随晋室南渡惶惶若"过江之鲫"的文人名士，才有了疗治亡国之痛、栖息心灵的精神家园：新亭对泣，兰亭盛会，雪夜访戴，唐诗之路……对外发现了自然、对内发现了心灵的文人们把江南变成了中国文化版图上一块最晶莹、最柔美的瑰玉。

当然，柔美并非没有风骨。那柔情的水，其实亦至强至刚。从勾践卧薪尝胆、岳飞怒发冲冠，到女侠秋瑾从容就义；从青藤山人的傲气，到鲁迅先生的硬骨……浙地丝竹之中，岂无黄钟大吕之音？

因此，当你流连江南胜景的时候，切莫忘了去先烈先贤的故居、祠堂、陵墓，轻轻地、轻轻地献上一炷心香……

第一编　绍兴之旅

|绍 兴|

[越文化的摇篮]

绍兴，处于宁绍平原的中心，是越中富庶之地，素被誉为"鱼米之乡"、"丝绸之府"、"文物之邦"，又有"水乡"、"桥乡"之称。古人用"山阴道上行，如在镜中游"的诗句，来形容绍兴秀丽的水乡风光。

千百年来，世世代代的绍兴人和其他的越地先民在这片江南大地上，创造出了独特的越文化。

越，古称於越，《春秋·定公五年》载："於越入吴。"早期越人的生活区域"南至于句无（今诸暨），北至于御儿（今嘉兴），东至于鄞（今宁波鄞县），西至于姑蔑（今太湖）"（《国语·越语上》）。在建德县发现的一枚人类牙齿化石，经测定，被确认距今已有五万年之久，这是已知的越人的最早遗迹。

到了新石器时代，这块土壤上孕育出河姆渡文化、马家滨文化、良渚文化等。

河姆渡遗址的挖掘，为我们展现了古代越人的生活画卷，反映了当时的生产力发展水平。在余姚县河姆渡村发掘出的大量植物及

5

绍兴水乡

越山长青水长白，
越人长家山水园。
——王安石

动物遗骸，木构建筑遗迹和构件，以及数以千计的陶器、骨器、石器、木桨等生产工具，都在告诉人们，六千至七千年前，河姆渡人已在从事相当发达的农业生产，开创了原始的农业文化。从而证明了长江下游地区和黄河流域一样，也是中华民族古老文化的发祥地。

经考古调查发现，杭嘉湖平原，乃至整个太湖流域，分布着众多的原始社会遗址。这些遗址包括三种文化：马家滨文化，距今约六千年，属早期遗址；崧泽文化，距今约五千年，属中期遗址；良渚文化，距今约四千年，属晚期遗址。三种文化间有着密切的内在联系。

至古史传说时代，越地更有其十分重要的地位。传说虞舜曾到过绍兴，城东南的舜王庙即祀舜之所在。据古籍记载，大禹治水成功后，东巡到绍兴苗山，大会诸侯，计功封爵，并更苗山之名为会稽。会稽之称始于此。夏少康中兴后，封庶子无余于会稽，奉守禹祠，国号於越，并在会稽山之南建城。

春秋战国时会稽为越国都。公元前221年秦始皇东巡会稽，致祭大禹，登山望海，并令丞相李斯撰写歌功颂德的《会稽铭文》，勒石立碑，后世称"秦会稽刻石"。时置山阴县（因县建置在会稽山之阴而得名），属会稽郡。隋大业元年（605）置越州。绍兴之名始于南宋。南宋建炎三年（1129），金兵南下，宋高宗赵构由临安（杭州）渡江，经越州、明州出奔东海，建炎四年返回越州。越州官绅上表乞赐府额，高宗题"绍祚中兴"（绍，继承；祚，国统）四字，寄寓继承国统、中兴社稷之意。翌年，高宗改年号为绍兴并以年号名府，升越州为府，作为驻跸之所。绍兴之名，由此而来。

[悠悠水文化]

"越山长青水长白，越人长家山水园"，这是王安石咏越的诗句。水，造就了绍兴的古文明，也造就了绍兴的古文化。

家家枕水：抹不去的风景

绍兴是一座典型的水城，和昔日的苏州一样："人家尽枕河"、"水乡小桥多"、"春船载绮罗"。

7

绍兴城内河道如织，水清如镜，家家户户与水为伴。或是河旁为路，路旁是房子；或是两路夹一河，又或是有河无路，两边都是房子，总之家家户户都是亲水而居、枕水而眠。北郊外更是"小桥、流水、人家"的典型江南水乡。绍兴西北与柯桥毗邻而居的安昌古镇就是其间一处最亮丽的风景。

　　这里，当年"碧水贯街千万居，彩虹跨河十七桥"：纵横交错的河道水汊，绵延数里的古街廊棚，古朴凝重的台门骑楼，精致幽深的院落小弄，千姿百态的石桥河埠……

　　这里，曾是"社戏锣鼓伴月升，腊肠香味随风飘"：热闹壮观的社戏，喜庆隆重的船头迎亲，历史久长的手工酿酒，腊月新年的搡年糕、串腊肠、扯白糖……

　　这是江南水乡独有的自然景致，也是绍兴民风淳厚的风情长卷。

　　安昌还是产生"绍兴师爷"最丰厚的土壤，这派深厚灵秀的文脉影响深远。

　　另外，绍兴东浦水街也极有特色。

村村社戏：演不完的春秋

　　绍兴水多，戏台也就多临水。看戏时，往往一些人在空地，而

绍兴东浦水街

另一些人则在水面的船上。戏本是演给"神"看的,但真正开心的却是看戏的人。他们分享着台上戏文中的喜怒哀乐,同时又随便聊天、吃东西……鲁迅《社戏》中就生动地描写过这种场面。

这种"社戏"舞台,在绍兴非常多,而且历史悠久。这样的舞台和观众,培养出了极为独特的绍兴戏剧文化:越剧和绍剧。

越剧诞生于绍兴府属的嵊县(今称嵊州),最初因常用的笃笃的"斗鼓"伴奏而被称作"的笃班"。大概是受梁山伯与祝英台传说故事的影响,越剧多演情意缠绵的才子佳人,沉迷者主要是女性。代表剧目有《梁山伯与祝英台》、《西厢记》、《碧玉簪》、《打金枝》等。

绍剧原称"绍兴大班",唱腔高昂激越,曲调抑扬顿挫,剧目多为《三国演义》、《水浒传》、杨家将、包龙图等侠义忠烈的故事,欣赏者则多为男子。有研究者认为,这种文化现象很可能源自吴越春秋中越王勾践卧薪尝胆、"十年生聚,十年教训"的历史传统。

生活是艺术的土壤。绍兴越剧与绍剧的奇妙结合,生动地表明:构成越地民族性格的,不仅有江南丝竹的悠扬,而且有黄钟大吕的高亢!

处处小桥:说不尽的故事

近人考证,清末绍兴城区面积为 7 平方公里,有 29 条河道,长 60 多公里,水域面积为 29800 平方米,桥梁 229 座,平均每平方公里就有 30 多座桥。

纤夫拉纤所走的桥,是绍兴的桥中最长的。绍兴古纤道初名"运道塘",俗称"纤塘路",是古越人的独创。这种路桥组合的古道,始建于唐。纤道路基全用青石垒砌,宽约尺许,上铺石板。纤道紧贴水面,与河道平行,最长的有五六公里。古人誉之为"白玉长堤"。

在绍兴众多的桥梁中,七百多年历史的八字桥在建筑上最有特色。这是绍兴石桥中最古老的一座梁式石桥。桥高五米,桥面由条石铺成,微微拱起,净跨 45 米,宽 3.2 米。桥下设下纤道。桥坐落在绍兴城东南的三叉通航河道上,设计者巧妙地将桥体建成"八"字形,桥南坡以一旱桥通河埠,桥东头沿河设纤道,南北、东西方向的船只皆可通航,从水陆两方面把城府与乡村连在了一起。

绍兴纤塘路

　　有一些古桥，还因为与名人、历史或传说有关联而产生了浓厚的历史文化气息。蕺山南麓的题扇桥因王羲之而得名。相传一位老婆婆"持六角竹扇卖之"，王羲之在此桥上与之相遇，遂起怜悯之心。"羲之书其扇，各为五字"，扇子很快被抢购一空。此桥由此称为"题扇桥"。说到题扇桥，得顺便提一下"躲婆弄"：那尝到甜头的老婆婆此后总是拿着扇子在桥堍等候王羲之，弄得王羲之只好远远见到那老婆婆便躲进附近的小弄堂，人们以后便把那条弄堂称为"躲婆弄"。绍兴北萧山街北侧的笔飞弄和笔架桥也因王羲之而得名。相传，王羲之不肯轻易为人写字。一次，邻居一老妪用王羲之喜爱的大白鹅骗得他几个大字，王羲之十分懊恼，抓起飞狐笔向书桌上一掷。没想到那支笔穿破窗纸，沿着窗外弄堂笔直向前飞去，"笔飞弄"因此得名。笔飞到一座桥的一块石头上，于是这块石头就被称为笔架石，桥也因此叫笔架桥。现桥已拆，改作路名，在笔飞弄北端。

　　南宋名园沈园附近的"春波桥"，与陆游有关。陆游晚年再游沈园，触景伤情，写下"城上斜阳画角哀，沈园非复旧池台，伤心桥下春波绿，曾是惊鸿照影来"的诗句。"春波桥"之名便由此而来。

12

柯桥的出名和汉末著名书法家蔡邕有关。柯桥有座亭叫柯亭，亦名千秋亭。传说蔡邕避难绍兴游柯亭时，忽闻悠扬悦耳之音，细细察听，发现乐音原是亭东第16枝椽竹因风吹动而发出。他当即取下那枝椽竹做成笛子试吹一曲，其音果然美不可言。他便将此曲名为"柯亭笛"。后"柯亭笛"成为中国音乐史上的名曲，柯桥也声名远扬。

塔山东侧的舍子桥有一个感人的故事。相传北宋末年金兵南下，逃难百姓中有一妇人，一手抱着不满三岁的侄子，一手拉着十几岁的儿子。行至塔山脚下，金兵逼近，精疲力尽的她为保护侄儿而将亲生儿子弃于山脚下。战事平息后，人们为纪念这位妇人而将此桥名为舍子桥，并在桥的对面建了舍子庙。

绍兴南门外的南渡桥始建于1934年，历史虽不长，却也和一个可歌可泣的事件有关。1941年，日本攻陷绍兴，稽山中学师生南撤至此桥附近时，日军追至，师生们有的被打死，有的被抓走，有的跳河自尽，冲出去的则继续南行。后来稽山中学就以"卧薪尝胆"为校训，以砺抗日之志。为纪念这段历史，桥改建后仍名"南渡桥"。

绍兴柯桥

小小乌篷：载不动的沧桑

在遍布河网的水乡，船是重要的交通工具。绍兴的各种船中，最有特色的是乌篷船。

乌篷船一般用于载客。船篷呈半圆形，用竹子编就，染以烟煤和桐油，呈黑色。大的乌篷船上布置考究，有座位、绣垫、藤床、枕席被褥，并设有厨房，船工中有摇橹的、做饭的、打杂的，各施其能。这种船大多用于作客、看戏、迎亲、出丧、上坟、游览等场合。乌篷船的船头，通常还雕刻着"鹢"，这是一种传说中的鸟。人们相信，鹢能对龙起威慑作用，从而保证行船安全。鲁迅的《社戏》、《阿Q正传》、《离婚》等作品中，有不少情节发生在乌篷船中。小小乌篷船，载着千百年来越人多少沧桑故事。

[醇醇酒文化]

绍酒为中国十大名酒之一。诗曰："天下垂名古越城，鉴湖琼浆沁人心。饮罢再问诸君口，杯中冠军数绍兴。"人称绍酒为"东方名酒之冠"。

绍酒的历史也许可以追溯到六七千年以前。据考古发现，河姆渡遗址中已经有了酒具：温酒的陶鬶、斟酒的陶盉和饮酒的陶杯。这说明，中国谷物酿酒的历史至少已有六七千年，而越地至少是中国最早的酿酒地之一。

绍兴投醪河

往事悠悠逝水知，
习流尚想报吴时。
一壶解遣三军醉，
不比夫差酒作池。
——徐天佑《箪醪河》

禹为越人之祖，禹时有米酒已见诸史籍。《战国策》载："帝女仪狄作酒而美，进之禹，禹饮而甘之"；《世本》载："仪狄始作酒醪"。仪狄为中国传说中的女酒神。另有男酒神叫杜康，曹操诗云"何以解忧，唯有杜康"。

至两千四百多年前的吴越时代，绍酒在社会生活中已不可或缺。越王勾践曾以此佳酿献给吴王夫差，吴国军士得意狂饮，以至以酒作池，积坛成山。勾践卧薪尝胆，与酒也有一番情缘。

《吕氏春秋》载："越王之栖于会稽也，有酒投江，民饮其流而战气百倍。"此即"箪醪劳师"的故事。公元前473年，勾践亲征伐吴。师行之日，百姓纷纷箪食壶浆，夹道送行。勾践大悦，见酒少不能遍饮三军，便命倒酒于河中，将士迎流而饮，士气大振，后大破吴军。越王投酒的那条河，后世称为"投醪河"、"劳师泽"。南宋诗人徐天佑《箪醪河》诗曾对此有所评说："往事悠悠逝水知，习流尚想报呈时。一壶解谴三军醉，不比夫差酒作池。"投醪河至今仍悠悠流淌在绍兴城南。

酌绍酒吟好诗、"一觞一咏"的兰亭修禊，则是文人的兴会。东晋永和九年（353）三月三日，会稽内史王羲之与名士谢安、孙绰等42人，集于兰亭，行修禊之礼。溪水宛转，酒杯漂流，把酒吟诗，逸趣无穷。王羲之乘酒醉兴起，用蚕茧纸鼠须笔挥毫作《兰亭集序》，成千古墨宝。此次修禊盛会，遗风极远。

唐代，绍兴酒作为贡品入贡皇宫，并载入《酒经》。宋代，绍兴"城中酒垆千百所"。17世纪，绍兴酒迎来了全盛期。清梁绍王《两般秋雨庵随笔》载："绍兴酒各省通行，吾乡之呼之者，有曰绍兴，而不系酒字。"传说康熙还曾专门请绍兴酿酒师到宫廷酿酒。

绍酒有"善酿"、"加饭"、"花雕"、"香雪"、"状元红"等品种，以"善酿"为最佳。相传，此酒是一位仙人回报给一位善良的老婆婆的，最早被人们叫作"善良酒"。绍酒"花雕"因装酒的酒坛常饰以彩绘、雕塑而得名，此酒又叫"女儿红"。绍兴人嫁出女儿时，要有酒作为陪嫁，以宴宾朋。一般人家都在女儿刚降世时，便酿酒数坛，埋入地下，以待佳时。如此陈年"老酒"，必然香醇之极。

绍兴酒能成为"天赋名醪"，得益于鉴湖优质的水资源。梁章钜

《浪迹续谈》云:"盖山阴、会稽之间,水最宜酒,易地则不能为良。"在绍兴的酒店,以山光水色为伴,越鸡、茴香豆、鸡肫豆、豆腐干等风味下酒,游目骋怀,确为探访绍兴醇醇酒文化的美事。

[越瓷驰誉世界]

中国有着悠久的玉文化,向来把"玉"作为美的理想。玉的美即"绚烂之极又归于平淡"的美。诗云"言念君子,温润如玉",子曰"昔君子比德于玉焉"、"古之君子必佩玉",玉以其独特的材质征服了古人。故在遥远的原始社会就已经开始了玉器的制作,良渚文化以及与其遥遥相对的红山文化可以称得上是新石器时代玉文化发展的高峰。

瓷器就是玉器精神的继续。中国是瓷器的故乡,最早烧成的瓷器是青瓷,而青瓷的主要产地是浙江,从上虞窑、越窑、瓯窑、婺州窑到秘色瓷、龙泉窑、郊坛下官窑,全属庞大的青瓷体系。

青瓷的釉是绿的,而最美的釉色无过于美玉,故历代匠师都孜孜以求玉的美感。古代崇尚青瓷,对白瓷不很重视,认为白瓷刺眼,锋芒外露,而青瓷温柔敦厚,委婉含蓄,能幻化出多种不同感觉的青绿釉色,既体现了闲散淡远的自然美,又符合讲究中庸和谐的传统儒家思想。

在浙江历史上庞大的青瓷窑系中,又以越窑和龙泉窑年代最久,也最具影响力。

越窑是中国最古老的瓷器窑场之一,始烧于东汉,历时800余年,影响十分深远。"越窑"一词,出现于唐代。"茶圣"陆羽在其论茶专著《茶经》中称:"碗,越州上,……或以邢州处越州上,殊不然。若邢瓷类银,越瓷类玉。邢不如越,一也。若邢瓷类雪,则越瓷类冰。邢不如越,二也。邢瓷白而茶色丹,越瓷青而茶色绿。邢不如越,三也。"唐代文人对当时的越窑非常推崇,"越窑"之名由此而流传开来。

晚唐五代的越窑有一种"秘色瓷"。从前人们提到它,都沿用宋代文献,说这种瓷器是五代十国时位于杭州的钱氏吴越国专为宫廷烧制的,臣庶不得使用。至于它的釉色,也像它的名字一样,秘而

宋越窑双耳瓶

九秋风露越窑开，
夺得千峰翠色来。
——[唐]陆龟蒙

不宣，后人只有从诗文里领略它非同一般的风姿。唐人陆龟蒙吟咏道："九秋风露越窑开，夺得千峰翠色来。"五代人徐夤赞叹："捩翠融青瑞色新，陶成先得贡吾君。巧剜明月染春水，轻旋薄冰盛绿云。"诗歌、文献的描写越是优美，越引得人们去考证、猜想，以至于出现了各种各样的说法。而秘色瓷究竟"秘"在何处，知道的人却越来越少，也就越发加剧了这种瓷器的神秘感。

1987年，随着陕西扶风法门寺宝塔的轰然倒塌，塔基下的地宫暴露出来，一批稀世之宝的出土轰动了世界，其中有令佛教徒顶礼膜拜的佛骨舍利，有唐懿宗供奉给法门寺的大量金银器、瓷器、玻璃器、丝织品，尤其重要的是，同时还出土了记录所有器物的物帐碑，让文物考古专家明明白白地知道了出土物的名称。

秘色瓷神秘的面纱终于被撩开了。专家们恍然大悟：对秘色瓷我们并不陌生，它原来就是越窑青瓷中的极品，只是从前相见而不相识罢了。秘色瓷之所以被抬到一个神秘的地位，主要是技术上难度极高。青瓷的釉色如何，除了釉料配方，几乎全靠窑炉火候的把握。不同的火候、气氛，釉色可以相去很远。要想使釉色青翠、匀净，而且稳定地烧出同样的釉色，那种高难技术一定是秘不示人的。秘色瓷在晚唐时期烧制成功，不久之后，五代钱氏吴越国就把烧制秘色瓷的窑口划归官办，命它专烧贡瓷，"臣庶不得使用"，它因此远离百姓，高高在上了。

龙泉窑在浙江西南隅，始于北宋初，盛于南宋中晚期，经两宋元明四朝，跨越四个朝代，七个多世纪，历时仅次于越窑，有一千多年的烧制历史了。

龙泉窑有哥窑弟窑之说。传说有章氏二兄弟，都从事制瓷行业，弟弟嫉妒哥哥，于是采取不正当的竞争方式，趁哥哥烧窑疏忽的时候，偷偷地加了一勺水，窑中的瓷器烧出来后全身布满裂纹。哥哥没有办法，还是拉到街上卖，没想到"塞翁失马，焉知非福"，瓷器比平时更抢手，销售极好，被一抢而光。"哥窑"以青为主，并有锰钴之淡紫色，紫口铁足，颇似官窑，以碎纹见称。只是至今哥窑仍仅见器物流传，不见窑址，乃一悬疑。"弟窑"为薄胎厚釉，一般经多次上釉，呈色青翠纯正，"釉汁莹润如堆脂"，有晶莹润澈、浑厚华滋的梅子青、粉青，高温不流釉，温婉动人，可与玉器相比，仿佛用翡翠雕琢而成。

宋龙泉窑葫芦瓶

龙泉窑以釉色胜，讲究造型美和釉色美，"端庄杂流丽，刚劲含婀娜"。南宋龙泉窑和其他姊妹窑系一样，开拓了一个崭新的陶瓷美学境界。

当龙泉窑瓷器传到欧洲时，人们惊讶于这美丽的青色，竟没有一个合适的词来形容，想到的惟有戏剧舞台上"雪拉同"所穿的衣服的颜色可以与之相媲美。16世纪晚期法国有一个著名作家杜尔夫（Honored Durfe）写了一部长篇小说《牧羊女亚司泰来》，叙述了牧羊女亚司泰来和牧羊人"雪拉同"的爱情故事。这部小说后来被改编成剧本，搬上了舞台，演出时剧中男主角"雪拉同"（Celadon）穿一件美丽的青色衣服，他一出场，观众就狂热地欢呼起来。不久，这件青色衣服竟风靡巴黎。恰逢此时，中国的龙泉青瓷首次跟法国友人见面，那碧玉翡翠一般的釉色，令所有人为之倾倒。巴黎人就把"雪拉同"（Celadon）赠给了中国的龙泉青瓷，并且传遍了整个欧洲，在文献里"雪拉同"也成了青瓷的代名词。龙泉青瓷是青瓷苑中的一朵奇葩。陶瓷专家冯先铭在评论诸青瓷后说："成为青瓷釉和质地之美顶峰则应是宋代窑工创造的龙泉青瓷，它是人工制造的青玉。"

南宋时期，政府大力发展外贸，瓷器是一大宗。据记载，龙泉窑全盛时，"瓯江两岸群窑林立，烟火相望，江上运瓷船舶往来如梭"。龙泉青瓷也在这种贸易中广布世界，声名远播。正如历史地理学家陈桥驿所说："一千多年来，这个省份，以其品质优异的大量青

杭州宋官窑窑址

瓷器，在世界各地为我们换回了巨额财富，赢得了莫大的荣誉。""从中国东南沿海的各港口起，经海道一直到达印度洋、波斯湾、阿拉伯、红海和东非沿岸……无处没有龙泉青瓷的足迹。"

浙江瓷业至今尚有不少遗址幸存。重要的有：绍兴富盛乡长竹园、诸家山战国窑址、绍兴上灶乡官山南麓越窑窑址、浙西龙泉窑窑址、杭州乌龟山南麓官窑遗址等。

[名士多于鲫鱼]

古越之地，人杰地灵。明袁宏道《初至绍兴》诗赞："船方尖履小，士比鲫鱼多。"历史上，头戴毡帽身披蓑衣的绍兴人随和谦逊、通情达理、柔中有刚、坚韧顽强，表现出鲜明的群体性格。著名的"绍兴师爷"崇尚理智，充满自信和幽默，被绍兴人引为骄傲。绍兴为翰墨之乡，"其俗尚风流而多翰墨之士"，民间也以习书为乐，论书为雅，赠书为贵。在这种浓厚的文化气息熏陶下，绍兴既培育了大批的英雄豪杰，也涌现了不少文人墨客。他们本身正是古老的越文化的体现。

东汉哲学家王充，生于会稽上虞，自称出身于"细族孤门"，曾被人耻笑为"宗祖无淑懿之基，文墨无篇籍之遗"。但他勤奋好学，"遂通众流百家之言"；"闭户潜思，绝庆吊之礼"，专心著述，写下了《论衡》等著作。

晋代大书法家王羲之，曾任右军会稽内史，世称"王右军"。其《兰亭集序》为千古墨宝，绍兴兰亭因此而成书法圣地。

唐代诗人贺知章，少年时以文词知名，晚年告老还乡，号"四明狂客"、"秘书外监"。他在绍兴城内所建的行馆，世称"贺秘监祠"。

南宋诗人陆游，在绍兴的沈园题《钗头凤》词，留下千古佳话。

元朝画家王冕，幼时家贫，入僧寺坐佛膝上，借长明灯读书。他工于画梅，常以梅花自比，曾以"不要人夸好颜色，只流清气满乾坤"的诗句明志。因讽刺时政而遭祸，逃到会稽九里山，隐居在鉴湖。诸暨九里村至今留有他自题的"踪寄白云"碑刻。

明代理学家王守仁，在会稽阳明洞创办阳明书院，成为阳明学派的始祖，其哲学观点被后世称为"王学"。绍兴城内留有他观天象的台基和他的住宅的饮酒亭、王衙池等。

绍兴青藤书屋，是明代文学家、书画家徐渭的诞生地和书斋，世称"文人花园"。

辛亥革命时期，绍兴是光复会的主要据点，徐锡麟、秋瑾、陶成章等近代民主革命者积极开展革命活动，写下了绍兴历史上可歌可泣的新篇章，人称"鉴湖三杰"。绍兴城内有大通学堂、热诚小学、秋瑾故居、徐锡麟故居和陶社等遗址。

百草园、三味书屋是鲁迅幼年生活、学习的场所。鲁迅还曾在绍兴任教。

曾任南京临时政府教育总长、北京大学校长和中央研究院院长

墨梅图
元
王冕

横斜出枝，
劲健挺秀，
淡墨涂染花瓣，
浓墨点醒花蕊，
东风第一枝，
春来也！

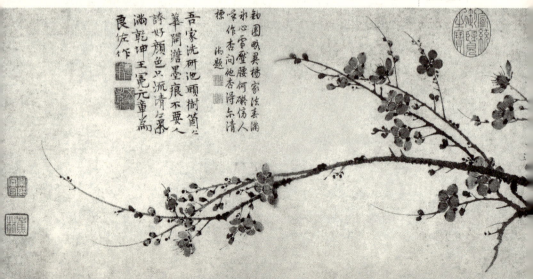

的蔡元培，出生在绍兴，早年曾任绍兴中西学堂监督。蔡元培倡导
"兼容并包"、"思想自由"的原则，向封建思想统治下死气沉沉的旧
文化提出挑战，为新思想、新文化的传播开辟了道路，被称为"一
代人师"。

　　绍兴还是周恩来的祖居之地。周氏祖居在劳动路19号，三进砖
瓦平房，古朴庄重。原名"锡养堂"，后传其祖辈有一对夫妇寿至百
岁，故改称"百岁堂"。1939年3月，周恩来曾在此接待亲友和绍兴
各界人士，并填写家谱。1978年全面修整，辟为周恩来史迹陈列室。
"周恩来祖居"门匾为陈云所题。1998年为纪念周恩来诞辰一百周年

又作扩建，辟为周恩来纪念馆的一部分。

|舜王庙|

[五千年的怀念]

中国纪念性的祠庙特别多，像伏羲、女娲、黄帝、炎帝、尧、舜、禹等中华始祖都不止一处。这可以说是中国建筑文化和民族文化精神中的一个特别的"情结"。本来，世界上任何民族都具有追本溯源的文化意向，都可能具有祭祖敬宗的原始文化心态。只是中华民族对祖先的崇拜尤其强烈，也可以说是中国具有独特的东方"恋祖情结"。在建筑文化上，由于东方缺乏宗教主神的庇护，"祖宗"这种民族血缘的文化原型就历史地充当了准宗教的角色，同样成为东方民族居住意识上的"终极关怀"。

当然，在何时何地建祠庙，又有其各自的具体情境。绍兴建舜王庙，是因为舜王和越人越地有着密切的关系。

舜，又称"虞舜"。《说文》："虞，驺虞也，白虎黑文，尾长于身。"虞是一种以虎为原型而塑造出的神兽，体现了对虎的图腾崇拜。后人考证，上古人民以"虞"喻舜，说明了舜的勇猛。舜在神话中，是一名猎手。他或居于高山，或浴于深渊，或在山林行猎，或在水泽捕鱼，无论什么凶兽怪禽，都能征服。《墨子·尚贤中》载："古者舜耕历山，陶河濒，渔雷泽。"《韩非子·难一》载："历山之农者侵畔，舜往耕焉，期年甽亩正。河滨之渔者争坻，舜往渔焉，期年而让长；东夷之陶者器苦窳，舜往陶焉，期年而器牢。"在民间传说中，舜之勇猛表现在制服野象一事上，象后来在农业上为人类服役，而舜也在人们的拥戴下成了贤能的领袖。

相传，舜因避尧之子丹朱之乱，曾到会稽巡守。任昉《述异记》载："会稽山有虞舜巡狩台，下有望陵祠。"《水经注》引《晋太康地记》："舜避丹朱于此，故以名县，百官从之。故县北有百官桥。亦云舜与诸侯会事讫，因相虞乐，故曰上虞"，则上虞之名，也与舜有关了。

舜对越的影响，还有更深刻之处。宋人王十朋《会稽风俗赋》云：

舜王庙戏台

"舜为人子，克谐以孝，故其俗至今烝烝是效。舜为人臣，克尽其道，故其俗至今挈挈是蹈；舜为人兄，怨怒不藏，故其俗至今爱而能容；舜为人君，以天下禅，故其俗至今廉而能逊。"

关于绍兴舜王庙，在古书上多有记述。如南宋《嘉泰会稽志》云："舜庙在县东南一百里。……舜山之阳。"

现存舜王庙，在会稽山麓双汇溪畔，建于清咸丰年间，同治年间重修，至今保存完好。

庙由山门、戏台、大殿、后殿及东西厢组成。大殿前的戏台特别精美，性质也很特别：演戏主要是给神（舜王）看，而不是像别处戏台那样主要是娱乐人的。据说农历九月廿七是舜的生日，古时每到这天，戏台就格外热闹。

在建筑上，舜王庙以石、砖、木"三雕"闻名遐迩。其中尤以大殿前的两根蟠龙石柱最为精美。

第一辑 绍兴之旅

禹 陵

[越人之祖]

相传大禹治水成功后，曾到过越地，最后又归葬于绍兴。《越绝书·外传记地传第十》载："禹始也，忧民救水，到大越，上茅山，大会稽，爵有德，封有功，更名茅山曰会稽。"《史记·夏本纪》载："帝禹东巡狩，至会稽而崩。"《禹穴记》则载：禹所葬之处"在会稽山阴，昔黄帝藏书处也。禹治水至会稽，得黄帝水经于穴中，按而行之，而后水土平，故曰禹穴"。后人为感先祖之恩，乃于会稽山下建禹陵、禹祠和禹庙。

禹 陵

禹陵坐东面西，临禹池，对亭山，会稽山环抱其后，气象森严。禹陵传为夏禹之陵墓。墓地原有孔穴，故称禹穴，又称禹井。汉司马迁写《史记》前，曾"上会稽，探禹穴"，即指此处。传说墓内原有"苇椁桐棺"，早已无存。旧有陵殿，亦废。现由甬道入内，可见

禹陵

大禹陵碑亭，亭内立有石碑，上刻明代绍兴知府南大吉所书"大禹陵"三字。碑亭附近是禹穴辨亭和禹穴亭。《禹穴辨》是考证大禹葬地的文章，为清代浙派篆刻创始人丁敬所作。

禹　庙

　　禹庙在禹陵旁，始建于梁大同十一年（545）。庙门口有禹王碑。碑文原刻在衡山岣嵝之巅，明嘉靖二十年（1541），张明道得岳麓书院本，重摹于此。此碑原称岣嵝碑，文字奇古，难以辨认。据说记载的是大禹治水的经过和功绩。因相传为大禹治水时所写，故又称禹王碑。禹庙重檐飞阁，画栋雕梁。中轴线上有午门、祭厅、正殿三进，顺山势逐步升高。内有大禹立像，高达数丈，正襟而立，背后绘制了九把斧凿，象征着大禹疏通九河的功绩。像前楹柱上有清康熙撰、今人沙孟海所书的楹联："江淮河汉思明德；精一危微见道心"。殿额书"地平天成"。

禹王庙大禹塑像

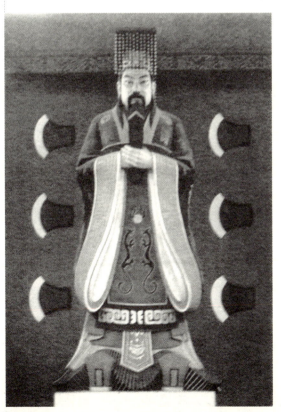

大殿东首的小山坡上，有"窆石亭"。亭内直立一块高2.3米、围径2.1米的大石。相传此石系大禹治水成功后回家时系船用的，石顶端的圆孔即用来系缆。也有人认为，窆石是大禹下葬时使用的一种工具。还有人说是下葬后的镇石，作为陵墓标志而放置的。窆石上刻有不少文字，已模糊不清。鲁迅先生考析出龙朝夫的题诗为："沐雨栉风天暇日，胼胝还见圣功劳。古柏参天表元气，梅梁赴海作波涛。至今遗迹衣冠在，长使空山魑魅号。欲觅冢陵寻窆石，山僧为我剪蓬蒿。"亭旁有巨碑两方，上书"石纽"、"禹穴"，以示大禹生于西羌石纽村，葬于会稽。

禹庙的殿堂上雕有不少栩栩如生的盘龙。传说有一年东海游来一条孽龙，给方圆几十里带来了滔滔洪水。禹庙中的两条彩龙于是驾着祥云，与孽龙展开恶战，最后为绍兴百姓除掉了孽龙。但两条彩龙也因精疲力竭，自祥云上栽落，化作两段梅树。后人在彩龙的殉难处造了一座"梅龙桥"，以作纪念。

禹 祠

据清《浙江通志》载，禹祠最早建于夏代少康之时，后屡毁屡建。近年重建禹祠为富有江南民居特色的两进院落。"禹祠"匾为著名画家吴作人题写。一进左右两侧有"大禹治水"和"计功封赏"砖雕。二进塑有据山东出土汉砖放大的大禹像。禹祠右侧有"咸若古亭"，为祭禹奏乐之用。

越为禹后

相传夏少康为不使祭禹中断，封禹之庶子无余到会稽，建国於越。《吴越春秋·越王无余外传》载："至少康，恐禹亦宗庙祭祀之绝，乃封其庶子於越，号曰'无余'。""余始受封，人民山居，虽有鸟田之利，和贡才给寺庙祭祀之费。乃复随陵陆而耕种，或遂禽鹿而给食，无余质朴，不设宫室之饰，从民所居。"越部落便从此发展起来，故自古有"越为禹后"之说。

绍兴人民对禹感情至深。每年的祭禹活动，是绍兴人民乃至整个中华民族的一件盛事。自古以来，每年一次民祭，五年一次官祭。

自秦始皇到清康熙、乾隆，均曾亲临致祭，海内外百越儿女每年都有代表与会膜拜。祭祀时，典仪十分隆重：长铣鸣响，锣鼓铿锵，身穿古越服饰的少男少女载歌载舞，重现当年古越风俗；主祭者读祭文，上礼香，酹绍酒……其隆重庄严并不亚于黄帝陵每年的祭奠。自1995年始，浙江省暨绍兴市祭禹典礼也多次举行。

大禹陵在1997年被列为全国重点文物保护单位。

|吴越遗迹|

[吴越春秋]

越王允常时，越国为吴、楚的属国。为摆脱属国地位，公元前506年，越乘吴攻楚之际，袭吴援楚。几年后，吴王阖闾再度举兵攻越。当时新继位的越王勾践派兵阻击，在槜李（今嘉兴附近）大败吴军。阖闾受伤而亡，其子夫差袭位。勾践胜利后，又向吴发起攻击，结果在夫椒（今太湖附近）惨败，率五千残余溃逃至会稽山。

勾践卧薪尝胆

在范蠡、文种的建议下，越与吴议和，越人被迫接受屈辱的城下之盟。勾践夫妇入质吴国，为阶下囚，"夫斫剉养马，妻给水除粪，洒扫三年"。

回国后，勾践励精图治，采取了一系列富国强兵之举，改革内政，积蓄力量。他不惜卑礼下士，招揽人材，"四方之士来者，必庙礼之"。他卧睡于柴草之上，并"苦身焦思，克己自责"，"置胆于座，坐卧即仰胆，饮食亦尝胆也"。（《史记·越王勾践世家》）成语"卧薪尝胆"即出自这段历史。当他晚上诵读典籍困倦之时，就用一种蓼草

吴王夫差矛
（湖北江陵马山出土）

的苦汁来刺激眼睛，以打消睡意。脚寒了就把它浸泡在冷水中，经受挨冻的痛楚。冬天常怀抱冰块，夏天则手捏滚烫之物。半夜里追思亡国之耻，常暗自啜泣，伤心之极，便仰天长啸。为防止自己产生安逸享乐思想，勾践亲自耕作，夫人亲自织布，"非其身之所种则不食，非其夫人之所织则不衣"（《国语·越语》）。

经过"十年生聚，十年教训"，越国逐渐强大起来。公元前473年，越灭吴。此后，周王封勾践为"伯"，赐越以"胙"，越始成霸业。

吴越的这段历史，在绍兴留下许多遗迹。《吴越春秋》载：公元前490年，越王勾践从吴国回到越国，欲"筑城立廓，分设里闾"。范蠡表示赞同："不处平易之都，据四达之地，将焉立霸王之业！"于是，越王委命范蠡，在卧龙山（今府山）东南麓，建起了一座"千一百二十一步，一国三方"的小城，即后人所称"山阴小城"。接着，又建了周二十里七十二步的大城，包括今府山、戢山、塔山。

府山也称卧龙山，是绍兴市内最高的山。传说越国大夫文种安葬于此山北峰，故又称种山。墓地不远有范蠡为"压强吴"所筑之望海亭。亭为"飞翼楼"，高达十五丈，曾被称为"绍兴第一楼"。旧时亭柱上有联曰："若耶溪上，泛者去而不休，何知游此地乎，静听争流出万壑；山阴道中，苦于应接不暇，是以建其亭也，坐观竞秀三千岩。"现亭为1998年重建。一亭一墓，可引出范蠡与文种之间的一段佳话。

范蠡与文种

史载范蠡出身于"饮食则甘天下之无味，居则安天下之贱位"的布衣之家，然而却有着不同世俗的远见卓识，因此遭楚国谗人嫉妒，只得佯狂作癫。文种曾是楚平王时的宛令。一天，文种路遇范蠡，见范蠡

越王勾践剑
（湖北江陵望山出土）

和狗同蹲于一个洞穴中，面朝着自己叫。文种的随行官员见此状，怕文种感到羞愧，就命人将范蠡遮隔起来。文种制止说：不用遮隔了。我听说狗所吠的是人。今天我来此，是因"有圣人之气，行而求之"。言毕，下车拜见范蠡。但范蠡并不理他。以后文种又派人送去请柬，请求拜见范蠡，范蠡依旧作癫狂之状。于是，文种又亲自驱车前去拜访，范蠡依然躲避他。但文种仍以礼求贤，真诚地前往拜访，终于感动了范蠡，两人遂"抵掌而谈"。后来，范蠡打算离开楚国到越国，文种立即放弃官位，相约而往。越王勾践见他们贤能，十分器重他们。在勾践去吴做奴虏的三年里，文种留守国内，主持日常事务；范蠡陪伴勾践，历尽千难万险。勾践回国后，他们又共同辅佐勾践完成了灭吴雪耻的大业。

勾践称霸中原后，加封范蠡为"上将军"。但范蠡深知"大名之下，难以久居"，写了一封长信，请求辞职。越王勾践读罢此信，潸然泪下，召来范蠡说："你如能留下不走，孤将与你分国共享；你如决意要走，孤将杀戮你的妻子。"但范蠡还是毅然出走了。为了怀念范蠡，勾践令铸范蠡铜像于宫中，每天朝见，以礼相待，与他谈论国家大事；每隔十天又令大臣们向他朝拜。

范蠡临行前，劝其好友文种归隐。但文种自认对越王有功，对此不以为然。第二年，越王勾践召见文种，说："你有阴谋兵法，倾敌取国。你教给寡人伐吴的九术，今用其三已破强吴。其余的六术，还在你那里。你带着你的余术去为孤前王用于地下，再谋取吴的先人。"于是，赐给文种一把属镂之剑，令其自裁。文种得剑哀叹："楚国南阳的邑宰，而为越王所擒获。"伏剑而死。

戬草共患难　风雨越王台

戬山，在绍兴城东。此山产一种带有腥味的戬草，因而得名。

史载，勾践被扣吴国时，终日着樵夫之衣，其夫人也穿着不修边幅、歪邪不正的短褐。勾践砍树枝，割野草，喂养吴王的马匹；夫人则提水，除粪土，洒扫不停。吴王夫差望见越王及夫人、范蠡坐于马粪近旁，君臣之礼犹存，夫妇之仪不丧，不禁感叹："虽在穷厄之地，尚不失君臣之礼，寡人甚为他们感伤。"勾践在吴国服役三年，

面无恨色。据传说，有一次吴王患病，勾践尝吴王粪垢，以表诚心，从此患上了口臭病。被赦回国后，勾践与夫人在蕺山采食蕺草，以解其臭。

晋代，王羲之曾于此筑宅，因此蕺山又名王家山。山上原有蕺山书院、大观亭等。

另外，府山东南麓有越王台。据《越绝书》载，越王台原在勾践小城内，规模宏大。后毁。李白《越中览古》诗云："越王勾践破吴归，义士还家尽锦衣。宫女如花满春殿，只今惟有鹧鸪飞。"越王台曾屡废屡建。据《嘉泰会稽志》云，南宋嘉定十五年（1222），知府汪纲于近民亭遗址重建，移越王台之名于此。此台高约十丈，气势雄伟，为一郡登临之胜。曾耆年篆"越王台"三个大字于石。抗战时被日机炸毁。现越王台为1981年于原址重建。乌漆大门上有明代书画家徐渭撰、今人沈定庵所书的对联："八百里湖山，知是何年图画；十万家灯火，尽归此处楼台"。

|兰 亭|

兰亭在绍兴西南兰渚山下。《越绝书》载：越王勾践种兰于此。后成为汉代的驿亭。郦道元《水经注》载："浙江东与兰溪合，湖南有亭，号曰兰亭，亦曰兰上里，太守王羲之、谢安兄弟数往造焉。"

为兰亭创造了辉煌历史的是王羲之，使王羲之留下千古名篇的是兰亭。

晋人风度天下无

关于王羲之和兰亭，还得从绍兴的山水说起。绍兴钟灵毓秀，山水如画。《会稽郡记》称："会稽境特多名山水，峰崿隆峻，吐纳云雾，松栝枫柏，擢干竦条，潭壑镜彻，清流写注。"这样的美景并不是东

山阴道上（局部）
傅抱石

从山阴道上行，
山川自相映发，
使人应接不暇。
若秋冬之际，
尤难为怀！
*　　——王献之*

33

第一编 绍兴之旅

晋南朝时才存在，但在南朝的历史背景和文化氛围中，却对失去北方大好河山、南渡的士族知识分子产生了不可抗御的诱惑和冲击。南渡的文人由于经历了沉重的亡国之痛，心情十分苦闷。"英雄一去豪华尽，惟有青山似洛中。"江南灵秀的山水，自然成了他们寄养情志、兴会赋诗的理想之地。这种历史和地理的机缘，就使得中国艺术史和民族心灵史上辉煌的一幕，在风景绝佳、人文荟萃的会稽、山阴上演。

刘义庆《世说新语》载：顾长康从会稽还，人问山川之美，顾云："千岩竞秀，万壑争流，草木蒙笼其上，若云兴霞蔚。"王子敬（献之）对会稽山水也是情有独钟："从山阴道上行，山川自相映发，使人应接不暇。若秋冬之际，尤难为怀！"

书圣王羲之对绍兴的山山水水更是一往情深："山阴道上行，如在镜中游"，明澈的水，映彻更明净晶莹的心！"既去官，与东土人营山水弋钓之乐。游名山，泛沧海，叹曰：'我卒当以乐死！'"（《晋书·王羲之传》）

晋宋名士在生活和艺术上采取唯美主义的态度，力求在刹那的现量的生活里求得极量的丰富和充实，同时把美的价值寄托于过程的本身。《世说新语》记有这样一则趣闻：

王子猷居山阴，夜大雪，眠觉开室，命酌酒，四望皎然，因起彷徨，咏左思《招隐》诗。忽忆戴安道，时戴在剡，即便乘小船就之。经宿方至，造门不前而返。人问其故，王曰："吾本乘兴而来，兴尽而返，何必见戴？"

就这样，正如著名美学家宗白华在《论〈世说新语〉和晋人的美》中所云："晋人向外发现了自然，向内发现了自己的深情。山水虚灵化了，也情致化了。"晋人富于这种宇宙的深情，所以在艺术文学上有那样不可企及的成就：中国山水意识走向自觉，中国山水诗画走向独立，中国独有的美术书法也从晋人风韵中产生。于是，有了顾恺之的"画绝、才绝、痴绝"；陶渊明的纯厚天真与侠情；王羲之的风神潇洒、如天马行空的行草……于是，"汉末魏六朝是中国政治上最混乱、社会上最苦痛的时代，然而却是精神史上极自由、极

34

剡溪访戴图
元
黄公望

兰亭修禊图
明
文征明

解放，最富于智慧、最浓于热情的一个时代。因此也就是最富有艺术精神的一个时代。"

文人兴会更无前

在绍兴名士的活动中，聚会是一种经常的形式，而高逸俊朗的王羲之又常常是聚会的主角。《晋书·王羲之传》载："会稽有佳山水，名士多居之。……孙绰、李充、许询、支遁等皆以文义冠世，并筑室东土，与羲之同好。"在中国文化史上具有重要意义的"兰亭盛会"，就是在这样的背景下举行的。

东晋穆帝永和九年三月初三，"天朗气清，惠风和畅"。三十二岁的会稽内史王羲之邀请孙统、孙绰、谢安、支遁等文人名士41人在兰亭聚会。他们列坐于水边，行修禊之礼。羽觞斟上美酒，从曲水上游顺流而下，漂到谁处停下，谁就得赋诗一首，作不出者罚酒一觞。他们共作了37首诗。王羲之为之作序，全文324字，辞采清亮，文思幽远，字体遒媚劲健，其中"之"字20多个，各具风采。

"天下第一行书"
《兰亭集序》(局部)
王羲之

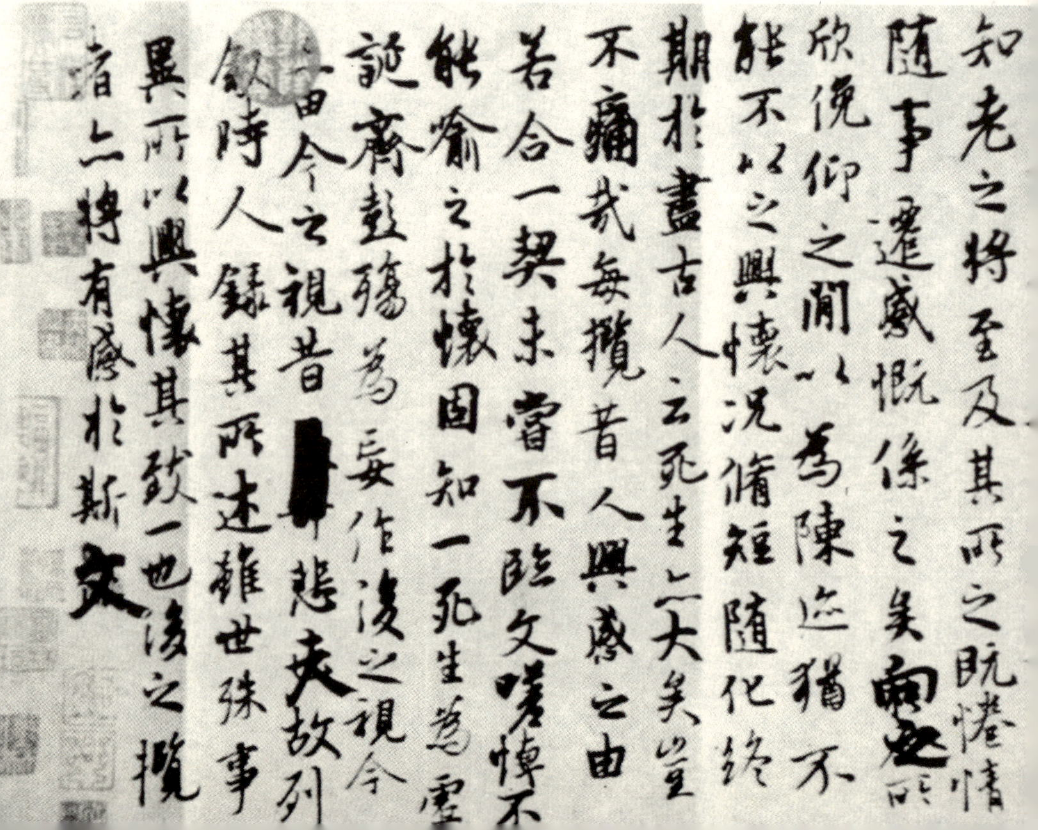

据说此序是王羲之乘着酒兴方酣之际，用蚕茧纸、鼠须笔写就的。翌日酒醒神清，再将前一天写的《兰亭集序》反复观赏，十分得意，趁兴又挥毫数篇，但皆觉逊色，便统统撕掉。

王羲之极为珍爱被誉为"天下第一行书"的《兰亭集序》。他辞世后，《兰亭集序》更是成了传家之宝。传到七世孙智永时，因智永出家无子，再传于弟子辨才。据说酷爱王羲之书法的唐太宗得悉此珍品之所在，巧取而去。辨才失去珍品，痛不欲生，不久竟含恨而死。太宗得到王羲之真迹后，终日观摩，直到弥留之际仍爱不释手，嘱人将其殉葬于昭陵之中。"天下第一行书"的真迹从此在人间消逝，后世流传的都是唐人的临摹本。宋代书法家米芾为之感叹不已："翰墨风流冠古今，鹅池谁不爱山阴。此书虽向昭陵朽，刻石尤能易万金。"

右军祠中思前贤

兰亭嘉会对后世影响极深。大诗人陆游有诗云：兰亭绝境擅吾州，病起身闲得纵游。曲水流觞千古胜，小山丛桂一年秋。酒酣起舞风前袖，兴尽回桡月下舟。江右诸贤嗟未远，感今怀昔使人愁。

为纪念这次嘉会，后人还在曲觞流水处筑"兰亭"。历经沧桑，

39

原址早废。现在的建筑和园林，系明嘉靖年间迁建。近年又全面整修。现兰亭有鹅池、流觞亭、小兰亭、御碑亭和右军祠等。鹅池旁有鹅字碑亭，相传碑上"鹅"字为王羲之亲书。据说他刚写好"鹅"字，忽闻圣旨到，忙搁笔接旨，其子王献之顺手续写下"池"字。一碑二字，父子合璧，成千古佳话。

小兰亭内有石碑一通，上刻清康熙手书"兰亭"二字。此碑字经无数游览者抚摸而稍平，因此有人称其为"君民碑"。

流觞亭在曲水左旋右绕之间，亭的四周是回廊。亭内高悬"曲水邀欢处"的匾额，亭的南侧是碑亭，也叫"小兰亭"。流觞亭的西侧，有"御碑亭"，正面刻着康熙临摹《兰亭集序》的全文，背面为乾隆《兰亭即事诗》："向慕山阴镜里行，清游得胜惬平生。风华自昔称佳地，觞咏于今纪盛名。竹在春烟偏潋荡，花迟禊日尚敷荣。临池留得龙跳法，聚讼千秋不易评。"康、乾祖孙二位皇帝留迹于一碑，实属罕见，故该碑有"祖孙碑"之称。有人将此"父子碑"与"君民碑"、"父子碑"并称"兰亭三绝"。

右军祠内有一水池，称"墨华池"据说当年王羲之用池中水蘸笔习字，染黑了一池水。池中建有哥华亭。右军祠的正厅挂有王羲之画像，两旁为著名书法家沙孟海所书楹联："毕生寄迹在山水，列坐放言无古今。"厅内陈列着自唐以降各种《兰亭序》的临摹本，其中唐冯承素的神龙本最为人称道。

|王羲之故居|

[书圣墨池香犹存]

因山盛启浮屠舍，遗像仍留内史祠。笔冢近应为塔冢，墨池今已化莲池。书楼观在人随远，兰渚亭存世几移。数纸黄庭谁不重，退之犹笑博鹅时。

这是南宋理学家朱熹造访王羲之故居后写下的《右军宅》。

羲之观鹅图(局部)
南宋
钱选

　　王羲之故居，又称右军别业，在绍兴市区北部的戒山南麓。东晋永和九年，王羲之任会稽内史来到绍兴，因爱慕稽山鉴水之胜，便在此定居了下来。他的书法融秦汉篆隶于正行草体，创圆转流利之风格，被奉为"书圣"。其《兰亭集序》、《奉桔》、《丧乱》、《孔侍中》、《初目帖》、《十七帖》等作品流传至今，故宅的遗迹也成为人们瞻仰的胜景。

　　王羲之故居后来成为戒珠寺。关于此事民间流传着一个故事：王羲之有一枚心爱的明珠，朝夕玩摩。一日，此珠不翼而飞。他怀疑是一位与自己交往甚密的老僧所窃，但又不便明说，便疏淡了与他的交往。僧人含冤莫辩，不久竟绝食而死。后来，家童宰鹅时，发现明珠在鹅的肚子里。王羲之追悔不及，遂舍宅为寺，亲题"戒珠佛寺"的匾额。其为人耿直，胸怀豁达，舍宅为寺之举，足见律己之严。

　　据方志载，寺外有鹅池、墨池；寺内有上方院、卧佛殿、竹堂、雪轩、宇泰阁等。原寺内有羲之像，青巾道服，端坐正中。现代国画大师张大千为戒珠寺撰写的对联云："此处既非灵山，究竟什么世界；其中如无活佛，何用这样庄严"。

经岁月沧桑，王羲之故居早已不复原貌，但许多有关王羲之的故事至今仍在流传。

王羲之练字勤奋刻苦。据说他走在路上，坐在椅上，还不停地揣摩着名家书帖的架势，手指也不停地在身上划着字形。时间一久，竟划破了衣襟。有一次睡觉时，他还用手指临空划字，不知不觉竟划到了妻子身上。妻子嗔道："你怎么老在人家身上划呢？自家体，没啦！"王羲之听到"自家体"三字，恍然大悟：应该创造自己的书体。从此，他在翻读碑帖手迹的同时，努力糅各家之所长，写出自己的风格。他的字妍美流畅，笔力遒健。有次他去访友，碰巧友人不在，于是他在茶几上留了几个字。后来，这家人想擦掉茶几上的字，却怎么用力也擦不掉。王羲之写在木板上的字，墨汁直渗到三分深的地方，因此，后人称其字"入木三分"。

民间甚至传说，王羲之的字有感天之力。大旱时节，只要把王羲之写的"雨"字打开，即使万里晴空，也会飘来阵阵乌云，降下大雨，人们称之为"画雨"。

沈 园

[陆游断肠处]

沈园在绍兴市东南隅。这一南宋时的名园，铭刻着宋代文学家陆游的爱情悲剧。据说脍炙人口的《钗头凤》词，就于此园写就。

陆游二十岁那年，与表妹唐琬结婚。虽婚后琴瑟甚合，但陆母却对儿媳十分不满，执意逼迫他们离异。伉俪情深，难以割舍，两人暗地在外找了一所房子，时时相会。但终被陆母发现，陆游"不敢逆尊者意，与妇诀"。不久，陆游续娶王氏，唐琬改嫁赵士程。几年后的一个春日，陆游独自游览山阴的沈园，恰巧唐琬与赵士程也在那里。不期而遇，触动了陆游内心的隐痛。唐琬叫人给陆游送去酒肴，热情款待。陆游酒入愁肠，感伤万分，便在一堵粉墙上挥笔疾书，题下了《钗头凤》词：

红酥手，黄縢酒，满城春色宫墙柳。东风恶，欢情薄，一怀愁绪，几年离索。错！错！错！　　春如旧，人空瘦，泪痕红浥鲛绡透。桃花落，闲池阁。山盟虽在，锦书难托。莫！莫！莫！

唐琬见到此词，也应和了一首：

世情薄，人情恶，雨送黄昏花易落。晓风干，泪痕残，欲笺心事，独语斜栏。难！难！难！　　人成各，今非昨，病魂常似秋千索。角声寒，夜阑珊，怕人寻问，咽泪妆欢。瞒！瞒！瞒！

绍兴沈园

沈园邂逅，是他们最后一次相见。不久，唐琬便在抑郁之中离开了人间。绍熙三年（1192），六十八岁的陆游重游沈园，又赋诗一首："枫叶初丹槲叶黄，河阳愁鬓怯新霜。林亭感旧空回首，泉路凭谁说断肠。坏壁醉题尘漠漠，断云幽梦事茫茫。年来妄念消除尽，回首禅龛一炷香。"在诗题中写道："禹迹寺南有沈氏小园，四十年前，尝题小阕壁间，偶复一到，而小园已三易其主，刻小阕于石，读之

陆游石刻像

山水中国 浙江卷

44

怅然。"

庆元二年（1196）春，陆游又游沈园，再赋《沈园》二绝："城
上斜阳画角哀，沈园非复旧池台。伤心桥下春波绿，曾是惊鸿照影
来。""梦断香销四十年，沈园柳老不吹绵。此身行作稽山土，犹吊
遗踪一泫然！"

开禧元年（1205）十二月二日夜，陆游梦游沈园作二绝："路近
城南已怕行，沈家园里更伤情。香穿客袖梅花在，绿蘸寺桥春水生。"
"城南小陌又逢春，只见梅花不见人。玉骨久成泉下土，墨痕犹锁壁
间尘。"

去世前一年，八十四岁的陆游写《春游》一绝，以缅怀唐琬："沈
家园里花如锦，半是当年识放翁。也信美人终作土，不堪幽梦太匆
匆。"

沈园历尽沧桑之后，仅存故园一隅。一泓葫芦池，尚存几分古
意，昔日的亭台楼阁荡然无存。1988 年重修。

|青藤书屋|

[名迹应先越绝书]

青藤书屋，位于绍兴市观巷大乘弄。四百多年前，晚明杰出书
画家徐渭诞生于此，以后这里又成为其书斋。徐渭故世后，明末清

初大画家陈洪绶又慕名来此居住。这里成了我国绘画史上"青藤画派"的发祥地。后人有词颂曰："数椽风雨，几劫沧桑，想月中跨鹤来归，诗魂尚下陈蕃榻；半架青藤，一池乳液，看石上飞鸿留印，名迹应先越绝书。"

明珠闲抛

徐渭（1521—1593），字文长，别号天池、天池生、天池山人、青藤道人、田水月等。自幼聪慧，七岁学作文章，二十岁在山阴考中秀才。但"功名"二字似与他无缘，以后曾八次参加科举考试，屡试不第，一生坎坷，很不得志。

徐渭擅长书法、绘画、诗歌和戏曲，自谓"吾书第一，诗二，文三，画四"，后人则有"画最奇绝"的评论。徐渭的作品，在明末文坛画界以奇肆狂放独树一帜。据说，徐渭常于酣饮大醉后作画，有时倾水墨于画面，再勾染成画，正是"一涂一抹醉中嬉，醉里偶成豪健景"。其《墨竹图》题诗云："枝枝叶叶自成排，嫩嫩枯枯向上

青藤山人徐渭
丁中一

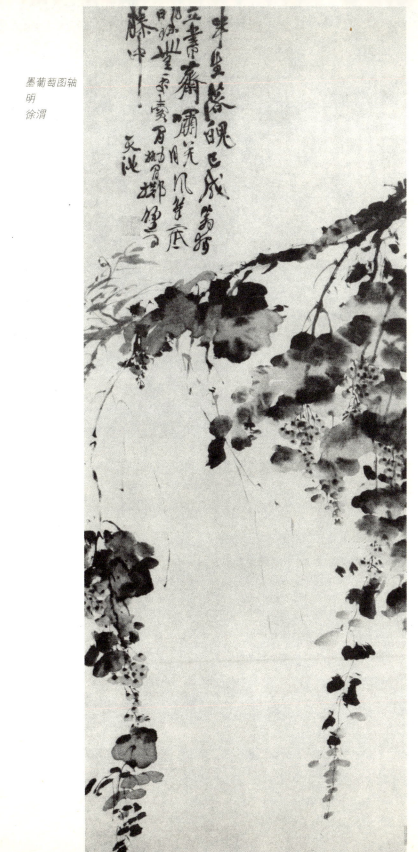

墨葡萄图轴
明
徐渭

栽，信手拈来非着意，是晴是雨凭人猜。"在《榴实图》中，以奔放的草书自题："山深熟石榴，向日便开口。深山少人收，颗颗明珠走。"在一种风驰雨骤的意境中，表达出了"英雄失路，托足无门之悲"。

徐渭三十七岁时曾做浙闽总督胡宗宪的幕客。后胡宗宪失势，入狱自杀。徐渭受迫成狂，几次自杀未遂。因误杀妻子，坐牢七八年，出狱时已五十三岁。晚年更加贫困潦倒。袁宏道说，徐渭晚年愤益深，佯狂益甚；显者至门，皆拒不纳；当道官至，求一字不可得；时携钱至肆，呼下隶与饮；或自持斧击破其头，血流被面，头骨皆折，揉之有声；或以利锥锥其两耳，深入寸余，竟不得死。

"半生落魄已成翁，独立书斋啸晚风；笔底明珠无处卖，闲抛闲掷野藤中。"《墨葡萄图轴》中的这首自题诗，是徐渭生活遭遇的写照。

徐渭六十一岁漫游归家后，贫病交加，孤苦伶仃，陪伴他的只有一条小狗，常常"忍饥月下独徘徊"。在其生命的黄昏，甚至连书屋也不得不变卖一空，唯剩"一尘不到"的匾额。死后靠友人相助，草草掩埋在绍兴城南的木栅山东麓。无墓冢，仅树墓碑一方。

徐渭生前在《青藤书屋图》中题辞："几间东倒西歪屋，一个南腔北调人。"寓庄于谐，令人感到无限的悲凉。

磊落正气

青藤书屋南首的天井中，原有一棵徐渭手植青藤，后被掘，现为补栽，品种同一。据说原青藤"本枝蟠曲，大如虬松"，徐渭极爱慕其顽强的生命力，故以它作为自己的别号。徐渭把自己天井中的水池命名为"天池"，称此池"通泉，深不可测，水旱不涸，若有神异"。池中树一石碑，上镌"砥柱中流"四字，决心以"推倒一切之豪杰，开拓万古之心胸"，一扫当时社会的芜秽之习。袁宏道评论说，徐渭为人"强心铁骨，与其一种磊磊不平之气，字画中宛宛可见"。

徐渭最憎恨权奸贪官，曾把这种感情寄写在《田蟹图》中，云："稻熟江村蟹正肥，双螯如戟挺青泥；若教纸上翻身看，应见团团董卓脐。"流传至今的一则"山阴不管，会稽勿收"的故事，就是徐渭傲岸风度之一例。南北朝末期开始，古山阴分为山阴、会稽两县，中有界河。一日，界河的桥上发现一具无名尸，百姓报官，而两县知县却推脱责任。徐渭闻知此事，非常气愤，便写了"出售县界河"的布告贴在桥头。两位知县大怒，喝道："大胆徐文长，竟敢出售官家界河，该当何罪？"徐渭从容而答："生员见桥上曝尸多日，山阴不管，会稽勿收，可见此河界是无主之地。因代为售卖，以筹资验尸收敛。请教大人何罪之有？"两位县官无言以对，只得令人验尸敛埋。

青藤遗风

给后世留下"青藤书屋"匾额的是书画家陈洪绶。

陈洪绶，字章侯，号老莲。张庚《国朝画征录》载，洪绶四岁时，过妇翁家，见到刚刚粉刷一新的白墙，趁人不备，登案画了一幅八九尺长的关羽像，使妇翁见画大惊，跪而叩拜，并扃室崇拜。陈洪绶于崇祯末年住进青藤书屋。与徐渭一样，他也有一种豪放孤傲

49

青藤书屋天井

的情怀。《越画见闻》载，洪绶生平喜为贫者作画，周其贫，"凡贫士藉其生者数十百家，若豪贵有势力者索之，虽千金不为搦笔也"。

陈洪绶精于山水、花鸟，更擅画人物。其《屈子行吟图》生动地表现了一个庄重、沉稳、傲岸的屈原形象，评论家们认为两个多世纪中，作屈原像者无有逾此。四十四岁时，陈洪绶曾入赀为国子监生，召入为舍人，专替王室临摹历代帝王像。后又被命为内廷供奉，不拜，未几即南归。鲁王监国时，授其为翰林待诏，隆武帝时又召为监察御史，皆不赴。明亡，陈洪绶被清兵俘。清兵曾以屠刀胁迫他作画，他拒不依从，险遭杀害。后避难云门寺，剃发为僧。晚年在绍兴、杭州等地卖画为生，悒郁而卒。

陈洪绶削发为僧后，青藤书屋一度荒芜。直到康熙二十年，施胜吉购得此屋，重加修葺。黄宗羲为此作《青藤行》诗："斯世乃忍弃文长，文长不忍一藤弃。吾友胜吉加护扶，远见文长如昔比！"

世事沧桑，名迹不废。青藤书屋享有"文人花园"之誉，徐渭人品文品亦影响深远。徐渭死后，袁宏道来到绍兴，灯下披阅，读到徐渭的诗文，拍案称绝，评为明代第一。后人更是把徐渭列为青藤画派之鼻祖。郑板桥曾刻一印："青藤门下牛马走郑燮"。齐白石也尊青藤主人为师，说"恨不生前三百年"，为之"磨墨理纸"。

|鲁迅故居|

[从百草园到三味书屋]

鲁迅故居，在绍兴市内东昌坊口。1881年9月25日鲁迅在此诞生，其童年和少年时代，以及辛亥革命前后，任教于绍兴中学堂和绍兴师范学校期间，都住在这里。鲁迅在故居度过了其生命的三分之一时间。

东昌坊口

鲁迅故居所在的东昌坊口，相传因唐代杭州刺史董昌而得名。唐僖宗中和二年（882），杭州刺史董昌与浙东观察使刘汉宏为争夺地盘而战，结果，董昌攻占了越州。"董昌坊"日久讹为"东昌坊"。

东昌坊街市上有爿老牌子小杂货店，那儿出售的商品中，鲁迅最感兴趣的是荆川纸和"金不换"毛笔。鲁迅三弟周建人回忆说："鲁迅先生小时……喜欢描画。画的多数是人物。从各种书上映画出来，后来钉成本子。用的纸多是荆川纸，光、薄、透明。……笔老是用小狼毫或'金不换'，都是狼（黄鼠狼）毛做的小型水笔。"又说这种笔"鲁迅先生差不多用了一世，我记不起看见他用过别种笔"。而且这种笔一直是从绍兴买的。鲁迅《答杨邨人先生公开信的公开信》中也说："我并无大刀，只有一枝笔，名曰'金不换'。"他晚年病重时，仍托人在绍兴买这种笔，可惜寄到时，他已经逝世了。

鲁迅少年时期，周家因发生了祖父周福清的"科场舞弊"案而开始破败。周福清，字介孚，清末甲子科举人，辛未科进士。光绪

五年（1878）升内阁中书。光绪十八年（1892）因母亲去世，周福清回绍兴守丧。第二年秋，浙江考举人，周家有两个亲戚也要应考。周福清因亲情难却，就写了个条子，连同钱庄的一张期票一起封入信封，差家丁送往监考学台的船上。当时有规定，学台到了考地后，不能拆私信。据说周福清的信送到时，学台刚好同抚台在聊天，只是把信放在一边。但送信的家丁不知就里，当时即索要回条，学台只好把信交给抚台，抚台奏于光绪。周福清闻知，便在会稽投案自首，被判为"斩监候，秋后处决"。一直监候了七年，直到光绪二十七年（1901）才获宽免。至此，家产已变卖将尽，"从小康之家而坠入困顿"。

百草园和三味书屋

百草园，在鲁迅故居后面，原是新台门周氏家族所共有的菜园，是鲁迅幼年时代常去玩耍的地方。鲁迅在《从百草园到三味书屋》中深情地说："我家的后面有一个很大的园，相传叫作百草园。……其中似乎确凿只有一些野草；但那时却是我的乐园。"在文章中，鲁迅记下了他和小伙伴们捉蟋蟀、玩斑蝥、拔何首乌的快乐情景。

百草园连同周家房产易主后，大部分园地还保持原样。鲁迅作品中描写的"短短的泥墙"也依然如故。

三味书屋原称三余书屋，取古人"为学当以三余，冬者岁之余，夜者日之余，阴雨者晴之余"之意。鲁迅的老师寿镜吾的祖父寿峰岚依古人"读经味如稻粱，读史味如肴馔，读诸子百家味如醯醢"之意，将其改为"三味书屋"。

鲁迅从十三岁到十七岁，一直在三味书屋读书。在鲁迅当年的书桌上，刻着一个"早"字。这是他在一次上学迟到后刻下的，用

三味书屋

以警戒自己。鲁迅还曾做了一个"读书三到，心到眼到口到"的书签。读书时，读一遍抽一个字。书会背了，尤其是当寿老先生读书入神，有的同学用纸糊的盔甲套在手指上做游戏时，鲁迅即拿出一本"闲书"，放在抽斗里读，桌上置"君子自重"四字，以防同学来捣乱。

在书塾里，对课是很使学生头疼的事。有一次，老师出的课题是"独角兽"。学童们有对"二头蛇"的，有对"三脚蟾"的，也有对"八脚虫"、"九头鸟"的，鲁迅却据《尔雅》对了个"比目鱼"。寿老先生连连点头："独"不是数字，但有单的意思；"比"也不是数字，但有双的意思，可见是用心对出来的。又一次，先生让对"陷兽入阱中"。鲁迅据《尚书》的"归马于华山之阳，放牛于桃林之野"，对以"放牛归林野"，又大得先生好评。鲁迅的对课本上，全都是红圈圈，可见鲁迅不但读书多，且思维敏捷。

鲁迅离开三味书屋后，与寿老先生仍有往来，从外地读书回来，总要跑到三味书屋去看望他。1929年7月30日寿镜吾先生以八十岁高龄在绍兴去世。

鲁迅故居附近，还有长庆寺、土谷祠、恒济当铺、咸亨酒店等名胜，已经修葺，恢复旧貌。鲁迅故居1982年被列为全国重点文物保护单位。近年，它与百草园、三味书屋、鲁迅纪念馆及恢复历史旧貌的周边景观一起，形成一个具有特殊意义的人文景观。

| 秋瑾故居 |

[鉴湖女侠　豪气冲天]

秋瑾（1875—1907），原名秋闺瑾，字璿卿，号竞雄，别署鉴湖女侠，浙江绍兴人，中国近代民主革命家。与她的战友徐锡麟、陶成章一起被誉为"鉴湖三杰"。

辛亥革命时期，绍兴是以蔡元培为会长的光复会的主要据点，秋瑾和徐锡麟、陶成章等积极展开反清活动，先后献出了自己宝贵的生命，用青春和热血，为柔美的江南丝竹之乡增添了黄钟大吕的强音和直干云霄的豪气。

睹物如见其人

秋瑾故居在绍兴和畅堂18号，今名秋瑾纪念室。1890年秋瑾祖父携家自闽返里，典居此屋。故居坐北朝南，共五进，每进之间均有天井衔接。第一进中间为门厅，大门上方系何香凝手书"秋瑾故居"匾额；西侧一间常用于接待外地革命党人。第二进是秋瑾生前使用的会客室、客堂、餐室、卧室。会客室是她与同志密商革命大计的地方。卧室内现照原样布置，陈列她生前所用过的实物。卧室后壁夹墙内有一密室，曾藏过文件和武器。第三、四进为其兄、其母住处。第五进为厨房。现第三、四进辟作秋瑾史迹陈列室，展出有关秋瑾的珍贵文物数百件。

秋风秋雨愁煞人

　　秋瑾早年赴日留学，参加光复会、同盟会，后在上海筹办中国公学，创办《中国女报》。1907年2月，接办绍兴大通学堂，为革命培养骨干人才。她与徐锡麟等共谋反清起义，事发被捕。7月15日凌晨，在绍兴轩亭口英勇就义，时年三十三岁。

　　面对死亡，秋瑾异常从容，当时报纸记载：

绍兴秋瑾故居和畅堂

肉食朝臣尽素餐，
精忠报国赖红颜。
庄哉奇女谈军事，
鼎足当年花木兰。

秋瑾烈士生前英姿

休言女子非英雄，
夜夜龙泉壁上鸣。
——秋瑾

7月7日，浙江巡抚张曾扬得知徐锡麟刺杀恩铭消息后，下令绍兴知府贵福逮捕秋瑾。10日，秋瑾已知安庆起义失败消息。清兵将到，于是指挥大家掩藏枪弹，焚毁名册，疏散学生，而自己决心殉难。

山阴县令李钟岳平素对秋瑾学问文章极为称许，因此对捕人之事极表反对，故意延宕时间，让该校师生逃走。7月13日午后，贵福将李钟岳召至府署严加责斥。下午4点，钟岳会同抚标兵管带率兵前往，破校门而入，将秋瑾抓获。

14日午后，李钟岳在花厅审讯，破例为秋瑾设座。钟岳即与秋瑾对谈。秋瑾乃缓缓陈述。钟岳随手授以笔，令录供词，秋瑾提笔仅写一"秋"字，如指顶大；钟岳令其再写，秋瑾乃顺笔写成"秋风秋雨愁煞人"七字，即举世传诵的绝命之言。钟岳再让她自述经历，秋瑾首肯，索钢笔墨水，立成千余言。二人谈话两小时之久，寂静异常，不知者疑为会客，绝不像审问犯人。李钟岳向贵福报告审问情形，贵福怫然不悦曰："你待她若上宾，当然不招，何不用刑讯？"李钟岳表示碍难用刑。贵福谓："你看着办吧！"当晚贵福向张曾扬报告，张曾扬下手谕，令就地正法。15日凌晨二时，贵福向李钟岳下令，并派心腹监督执行。三点时，钟岳将秋瑾女士提出，告曰："我本欲救你一命，但上峰必欲杀你，我已无能为力。我位卑言轻，杀你非我本意，你明白否？"言时，泪随声堕。旁立吏役，亦相顾恻然。秋瑾答："公祖盛情，我深感戴，今生已矣，愿图报于来世，今日我惟求三件事：一，我系一女子，死后万勿剥我衣服；二，请为备棺木一口；三，我欲写家信一封。"钟岳一一应允。秋瑾遂不再言语，从容步行，赴轩亭口，于7月15日凌晨4点就义。

斯人已去精神在

为了纪念秋瑾烈士，绍兴人民1930年在她牺牲的轩亭口建立了秋瑾纪念碑。碑高7米，形制质朴，庄严肃穆。正面镌刻"秋瑾烈士纪念碑"七个鎏金大字。碑身下有须弥座承托。其正面有蔡元培撰、于右任书《秋先烈纪念碑记》。巍峨高大的纪念碑，象征着烈士的高风亮节，鼓舞着有良知的后人继续前行。

给后人以巨大鞭策的还有秋瑾就义前写下的《绝命词》和《同胞苦》。其《绝命词》写道：

痛同胞之醉梦犹昏，悲祖国之陆沉谁挽。日暮穷途，徒下新亭之泪，残山剩水，谁招志士之魂？不须三尺孤坟，中国已无干净土，好持一杯鲁酒，他年共唱拜仑歌。虽死犹生，牺牲尽我责任，即此永别，风潮取彼头颅。壮志犹虚，雄心未渝，中原回首肠堪断！

当时报纸刊载的另一则消息，也让人深切地感受到秋瑾烈士伟大精神的深刻影响：

1907年10月29日，原山阴县令李钟岳悬梁自尽。秋瑾女士死后仅三日，李钟岳即被撤销官职。李钟岳离任之日，绍兴绅民数百人，乘船数十只，送至距城30里的柯桥，仍恋恋不舍。钟岳俨然曰："去留何足计，未能保全大局，是所憾耳！"

李钟岳归乡后，终日只说"我虽不杀伯仁，伯仁实由我而死"，甚为自疚。他曾对人说："越中自明季以还，宿儒大师，先后讲学，隐托经义故训，藉严华夷之辩，光复之宜，涵濡于后学者至深。革命说兴，其迎而与合者，大抵皆优秀分子，纵罹法网，犹将宥之于世；至若谳狱不具，本无死法，扼于权要，未由平反，人虽谅我，其如良心责备何！"闻者虽慰藉钟岳，但钟岳不能释然，渐萌殉身之念。每日他总将秋瑾遗墨"秋雨秋风愁煞人"七字注视默诵，痛心疾首以致涕下。一次他跃井自杀，被救不死。数日又结绳老树，却被夫人发觉。家人防范，不敢远离，但钟岳死志已决。29日上午9时许，乘家人不备，自缢于旁舍，年53岁。李钟岳自杀之日距秋瑾死难只有百日。噩耗传开，不论识与不识者，咸为之太息。

|徐 社|

[革命志士　大义凛然]

徐社在绍兴龙山北麓胜利路大通学堂内，为纪念近代民主革命家徐锡麟而立。

徐锡麟（1873—1907），绍兴东浦人，字伯荪。生前致力反清斗争，1907年7月与秋瑾准备在浙、皖同时起义。7月6日，刺杀皖抚恩铭后，壮烈牺牲。1912年，绍兴各界人士为纪念烈士，在绍兴城西北至大寺前建徐公祠立徐社。后祠废，移今址。现展出烈士生平事迹图片、文物多件和民主革命家蔡元培撰写的徐烈士祠碑记。

对徐锡麟壮烈牺牲的经过，当时报纸有详尽的报道。今天读来，依然怦然心动：

徐锡麟被捕后，徐乃常藩司冯煦和臬司毓秀立即开堂审讯。毓秀命徐锡麟下跪，徐不跪，席地而坐。冯煦审讯徐锡麟："恩抚待你不错，你为什么要杀他？"徐锡麟回答："恩铭待我好是私情，我杀恩铭是为公。"

冯煦问同党，徐锡麟回答："革命党人多得很，惟安庆是我一人。"他对抗不屈。冯煦逼他写供词，徐锡麟提笔疾书，写数千言，

鉴湖三杰

写罢自读，复自修改。纸上写的都是"杀尽贪官"、"推翻清廷"、"恢复中华"内容，落款为"光汉子徐锡麟"。

审讯完毕，狱卒给"囚犯"拍了一张照片。徐锡麟说："慢，脸上没有笑容，怎么留给后代，再拍一张。"态度从容镇定。公堂上一片肃静，几个衙役被徐锡麟肝胆照人之慷慨言行打动了，低下了头。

徐锡麟被捕后，"省城罢市，人心惶惶"。端方"恐有余党劫犯"，致电冯煦要立即处死徐锡麟。审讯结束，恩铭的妻子要求按照1870年张汶祥刺两江总督马新贻旧例，挖徐锡麟心来祭恩铭。冯煦等请示端方，获准。于是冯煦判决徐锡麟就地处死，剜心祭恩铭。徐锡麟听了哈哈大笑，说："我为重建中国，早置生死于度外，区区心肝，何屑顾得。要杀，要剜，请便。"

冯煦坐到衙门公堂上，厉声说："徐锡麟，你只要交出光复会名单，可免你一死。"徐锡麟站立台阶，朗声大笑："可笑大人有眼无珠。告诉你，革命党人遍及中华，我四万万同胞必能振兴中华，图共和之幸福。"

7月6日夜，在安庆抚院东辕门外刑场，徐锡麟被残酷杀害。先由几个刽子手把徐锡麟睾丸砸碎，然后剖腹将他心脏取出炒食下酒。鲁迅在《狂人日记》中写道："……从盘古开辟天地以后，一直吃到易牙的儿子；从易牙的儿子，一直吃到徐锡麟。"对此表示极大的愤怒。徐锡麟殉难时，年仅35岁。

和徐锡麟一同起义的陈伯平、马宗汉一个战死现场，一个被捕后壮烈牺牲。两人同葬在杭州西湖徐锡麟墓旁。

革命志士，面对死亡纵声大笑，中华英烈何等从容！贪官污吏，炒食人心，岂如衣冠禽兽！

|陶　社|

[越贤杰出　气壮山河]

陶社在绍兴五云门外5公里的东湖风景区内，系祀近代民主革命家陶成章烈士之祠。

陶成章（1878—1912），字焕卿，绍兴人。青年时代鼓吹革命，后联络国内外志士，组织光复会，积极从事反清斗争。曾与秋瑾、徐锡麟等在东湖秘密聚义。武昌起义后，发动江浙光复军起义，为光复上海、浙江、南京作出了贡献。1912年1月，被政敌暗杀于上海广慈医院。孙中山评价："陶君抱革命宗旨十有余年，奔走运动，不遗余力，光复之际陶君实有巨功。"绍兴各界人士为纪念烈士，于1914年将原东湖通艺学堂改为烈士祠，命名陶社。1916年，孙中山先生亲临致祭，并为陶社题写"气壮山河"的横额。祠于抗日战争时被毁。现东湖西首古色古香的陶社，为1982年重建。陶社内，有陈叔通亲撰并书的楹联："皖变是先驱，九死完成光复志；越贤为杰出，万流凭吊广慈魂。"

绍兴东湖

|东　湖|

[“勿谓湖小，天在其中”]

　　东湖位于绍兴市东10里处。这里原是一座青石山。《旧经》载，秦始皇东巡时，曾在此稍憩，停车喂马，因名箬篑山，俗称遮门山。汉代开始，人们在此开山凿石。隋时，因建筑绍兴城需要石料，大量采掘而成悬崖峭壁的幽深石坑。经过代代石工雕凿，终成今日的湖山景观。

　　东湖水深岩奇，湖洞相连。构筑精致的秦桥和霞川桥，将湖分为三片。乌篷小船缓缓划进仙桃洞，但见绿水盈盈，洞如石屋。迎

62

面的石壁上刻有"洞五百尺不见底；桃三千年一开花"的对联。仙桃洞因形若仙桃而得名。洞口有书云："相传有仙桃其上，其花无定时，其树无定状，越之人皆能言之，并以名洞。"

出仙桃洞东行，即陶公洞。此处水深黛而清冽，轻轻拍掌，或引吭高吟，能引来缭绕不绝的回音。郭沫若感叹："大舟入洞，坐井观空。勿谓洞小，天在其中。"

登上逶门山，可俯瞰东湖全景。山麓湖畔，香积亭、饮渌亭、听湫亭点缀于绿树红花之中，构成人间仙境。

古代吴越先人尊龙为图腾，这出于对水的敬畏。《越绝书》云："春祭三江，秋祭五湖。"绍兴人也称箬篑山为龙池山。传说山对面村子里曾住有娘囡二人。一天，阿囡在山脚下摸到一颗宝珠，因欢喜而含在嘴中。一不小心，咽到肚子里。这宝珠原是一颗龙珠，阿囡却并不知晓。这年恰逢大旱，种田人日夜车水。阿囡身上的褡膊往水车上一搭，竟变成了一条长虹，哗哗地往地里灌水。从此她常在深夜用褡膊为乡亲们送水。

阿囡回家洗浴时，满满两大盆水，一会儿便一滴不剩。老娘生疑，有次在阿囡洗浴时便从门缝里偷看，只见水盆中是一条白龙。龙身忌俗眼窥视，阿囡再也恢复不了原形，便破窗而出，龙尾在对面山上剪出一口深池，然后驾云而去。人们称此池为"龙池"。龙池水直通东湖。这一带从此再未断过水。白龙飞走时，不时回头望娘。人们把这个地方称作"九曲望娘湾"。

东湖西首，有一座古色古香的三开间瓦房，是为纪念陶成章烈士而建的陶社。

| 鉴　湖 |

["名门闺淑，可钦而不可狎"]

鉴湖，又名庆湖、大湖、长湖、镜湖，系东汉永和五年（140）会稽太守马臻为治洪涝之害而创筑。原面积极大，后不断淤塞，今不足十之一矣。但人们对马臻的怀念依旧。马臻被豪绅诬陷而被"刑

63

于市"后，百姓未忘其功绩。唐代始为其筑祠修墓，每年春秋进行祭祀。墓南有青石望柱，上镌："作牧会稽，八百里堰曲阶深，永固鉴湖保障；奠灵窀穸，十万家春祈秋报，长留汉代衣冠"。墓左马太守庙代有增修，现存前殿、大殿等均为清代建筑。

鉴湖风光极为秀丽，而且有独特气质。晚明文学家张岱《西湖梦寻》云："余弟毅孺，常比西湖为美人，湘湖为隐士，鉴湖为神仙，余不谓然。余以湘湖为处子，眠娗羞涩，犹及其未嫁之时；而鉴湖为名门闺淑，可钦而不可狎。若西湖则为曲中名妓，声色俱丽，然依门献笑，人人得而媟之矣亵。"

张岱将鉴湖定位为不同于杭州西湖、萧山湘湖的"名门闺淑"，是很有道理的：她不仅质朴文静，而且古雅成熟，具有更为丰富的文化内涵。

绍兴鉴湖柯岩石佛

自东汉以来，鉴湖一直为文人名士所青睐。晋王羲之有"山阴道上行，如在镜中流"的感受；唐李白有"镜湖水如月，耶溪女如雪"的感慨；杜甫有"越女天下白，镜湖五月凉"的赞誉；贺知章有"惟有门前镜湖水，春风不改旧时波"的钟爱；宋蒋堂有"湖之水兮碧泱泱，环越境兮润吴疆"的浩叹；明袁宏道有："六朝以上人，不闻西湖好"、"彼此俱清奇，输他得名早"的评价……大诗人陆游更是在湖畔建快阁，与鉴湖朝夕相伴。快阁面积不大，但山、水、亭、楼俱全，为鉴湖一大胜景。后清乾隆年间重建。清吴寿昌有诗赞曰："梅里峰当槛，耶溪水到除。座间风月好，道上画图如。重是先贤迹，宜为有道居。经时共吟呚，恋恋此樵鱼。"可惜现仅存石库墙门。

离快阁不远处，即是陆游故里三山——行宫山、韩家山、石堰山。"老夫一卧三山下，两见城门送土牛"，陆游《春日》诗记载了故里的生活。在韩家山和行宫山之间，有陆家池、陆家庵，据说陆游古宅就在池西，可惜已无遗迹可考。

经过多年经营，现在的鉴湖已成为一个规模宏大的省级风景名胜区。其核心景区是包含石佛景区、镜水湾景区和越中名士苑、圆善园四大景区的柯岩风景区。

还值得一提的是，鉴湖湖水还是酿造"绍兴老酒"的惟一优质水源。

|西施故里|

[浣纱古石今犹在]

绍兴市诸暨县，是春秋时越国美女西施的故乡。

西施，名夷光，因其家乡的苎萝山下有施姓两村，夷光居西，故称西施。西施为中国历史上四大美女之一。公元前494年，越国军队在夫椒遭重挫，越王勾践"欲行一切之变，以复吴仇"。西施被越王献给吴王夫差，成为夫差最宠爱的妃子。从此，夫差天天寻欢作乐，兴姑苏台，建馆娃宫，山池玩月，琴台抚弦，治国之心遂丧。西施完成了勾践交与的"惑其心而乱其谋"的使命。

西施

西施越溪女，
出自苎萝山。
秀色掩古今，
荷花羞玉颜。
　　——李白

诸暨县城南四里的浣纱溪畔，有一巨石，传为当年西施浣纱处。西施出生在一个樵夫家中，从小聪明美丽，每天起早摸黑地采桑、浣纱。据说西施浣纱时，这块巨石会随西施之意而沉浮。水浅时下沉，水涨时上浮。在此浣出的纱，洁白光亮，还飘出一种独特的清香。当年，越国大臣范蠡就是在此处觅到了西施。

西施村南3里处，有虎头山，山上有一块范蠡岩。传说当年范蠡曾和西施来此指石为证，结下百年之好，此石遂被后人称为"结发石"。

越灭吴后，西施的归宿如何？一说是随范蠡涉三江、泛五湖去了。姑苏一带有不少以范蠡之名命名的遗迹，据说都是范蠡携西施出走时停留、歇脚、隐居过的地方。

更多的人则认为，越王勾践进入吴宫后，把西施占为己有，班师回国时，西施也同舟载还。但勾践夫人妒火中烧，曰："此亡国之物，留之何用？"设下计谋将西施绑在石上沉下江去。《墨翟·亲士》曰："西施之沉，其美也。"明代冯梦龙《东周列国志》中，也认为西施被沉于江。他认为："后人不知其事，讹传蠡载入五湖，遂有'载去西施岂无意？恐留倾国误君王'之句。按范蠡扁舟独往，妻子且弃之，况是吴宫宠妃，何敢私载乎？"

传说王羲之曾游苎萝山，并为浣纱石题字。正当他感叹"江边空余浣纱石，夕阳不照浣纱人"时，飘然降下一位美丽的浣纱女，原来是西施显灵。这一奇遇铭记于书圣脑中。临终，他嘱咐家人将他葬于苎萝山石壁之巅。今浣纱石尚在，长1米许，上刻"浣纱"二字，传为王羲之所书。1980年，新建西施亭，亭内存有碑碣纪其事。

西施的故事，见于《吴越春秋》、《越绝书》等，明梁辰鱼据此故事编写了传奇《浣纱记》。唐代李白写有"西施越溪女，出自苎萝山。秀色掩古今，荷花羞玉颜"、"未入吴王宫殿时，浣纱古石今犹在"等诗句。

在西施故乡，有关这一古代佳人的遗迹有浣纱石、西施亭、西施殿等。另外，在绍兴五云门外，有"西施山"，也叫"美人宫"、"土城山"，传为西施习步的宫台遗址。当年范蠡把西施带到了越王城，国人慕西施之名，争睹芳容，以致道路为之壅塞。此后，越王"筑起宫台"，建"美人宫"，对西施"饰以罗縠，教以容步，习于土城，临于都巷，三年学服"。绍兴南面有一若耶溪，传说当年西施曾在此采莲。

1959年，"西施山"一带开掘河道时发现许多青铜器和铁器。以后，又多次发现铜剑、铜矛、铁矛以及原始青瓷、印纹硬陶和黑皮陶。这些实物都佐证了当时的生产水平和经济状况，成为勾践"十年生聚"成效的原始证据。

|五泄山|

[望若云垂　声震天外]

五泄山在诸暨市西部，距绍兴城区25公里，以五泄瀑布知名于世。五条瀑布从崇山峻岭间飞泄而下，气势浩大，且各具特色：或沿峭壁而下，悄然无声；或如蛟龙出谷，声如巨雷。其中以五泄最为壮观。早在1400多年前，北魏郦道元在《水经注》中盛赞其气势："高山夹溪，造云壁立"，"水势高急，声震天外"，"望若云垂"……明袁宏道《五泄》亦云：

　　五泄水石俱奇绝，别后三日，梦中犹作飞涛声，但恨无青莲之诗、子瞻之文，描写其高古渍薄之势为缺典耳。石壁青削

五泄山图
明
陈洪绶

山水中国
浙江卷

似绿芙蕖，高百余仞，周回若城，石色如水浣净，插地而生，不容寸土。飞瀑从岩巅挂下，雷奔海立，声闻数里，大若十围之玉，宇宙间一大奇观也。因忆会稽有所谓"五泄争奇于雁荡"者，果尔，雁荡之奇，当复如何哉！

五泄之水飞泻汇流，总称五泄溪，汇入东龙潭。溪两岸有72峰、36坪、25岩，风光奇特。至唐，高僧灵默禅师来此创办"三学禅院"，五泄于是又成为佛门圣地。自宋以来，文人雅士前往游历者趋之若鹜，留下不少脍炙人口的诗文和别具一格的书画，更为奇山异水增添了无尽的灵秀。

|东 山|

[谢公宅前听棋声]

东山在四明山北上虞县境内。这里有谢安墓。"东山再起"一词就出于此。

谢安系东晋政治家，年轻时愤世隐居东山，后入朝执政，孝武帝时官至宰相，屡建战功。淝水之战中，谢安为东晋主帅。捷报传入帅营时，据说谢安正在与人对弈。人问"战况如何？"谢安只是淡淡一笑说"孩子们把敌兵打败了"，又继续下棋。后世流行的成语"草木皆兵"、"风声鹤唳"都出自此次战役。

淝水之战后，谢安的威望更高，也招致了王室对他的猜疑。于是他主动请求北征，出镇广陵。385年病逝，葬于建康。后其孙辈扶柩迁葬于东山之北。

唐代李白《梁园吟》中，有"东山高卧时起来，欲济苍生未应晚"的诗句，表达了他对谢安的仰慕之情。

东山上有洗屐池。传说谢安辞官前有一次来东山，其政敌派人跟踪。谢安发现后，便脱下木屐，倒穿着上山。时值大雪，跟踪者发现雪中屐印，以为谢安已下山，遂掉头追下山去。谢安见状，方在此水池中濯足洗屐，从从容容地上山。山间的国庆寺旧址，据说

东山报捷图
清
苏六朋

为当年谢安宅第。谢安常在此与主持法师品茗对弈，谈古论今。

　　陆游有诗吟咏东山："绝顶松风透胆清，谢公曾此养高僧。山横两眺暮云碧，江浸一天秋月明。林下有僧敲锡响，石边无客听棋声。蔷薇洞口庭前水，留得当年洗履名。"

第二编 杭州之旅

|杭　州|

["上有天堂，下有苏杭"]

杭州，别称武林，是中国六大古都之一。杭州的"杭"字有多层含义。《郡国志》载，夏禹东去，舍舟航登陆于此，故名。《西湖游览志余》载：杭，方舟也，殆今之浮桥。禹至此造桥以渡。越人思之，且传其制，遂名余杭。也有人认为，杭者，渡也，盖古代浙东西之渡口在此，即以杭名。杭州地处钱塘江干游的北岸，京杭大运河南端，市区面积为430平方公里，有众多山丘、湖泊、江水与城市相依。

"上有天堂，下有苏杭"，杭州素以风景的秀丽和物产的丰美著称。

东南形胜处

早在13世纪，意大利旅行家马可·波罗就在其游记中称杭州为"世界上最美丽华贵之城"。

位于杭州城西的西湖，是杭州一百多处景点的核心。明田汝成《西湖游览志》云："西湖，故明圣湖也。……汉时，金牛见湖中，人

言明圣之端，遂称明圣湖。以其介于钱塘也，故又称钱塘湖。以其输委于下湖也，又称上湖，以其负郭而西也，故称西湖云。"湖中，有"镜中长虹"之誉的苏堤和白堤把湖面分为外湖、里湖、后湖三部分。湖中有小瀛洲、湖心亭及阮公墩三岛。沿湖四周，繁花似锦，绿树成荫。

　　杭州之美，不仅在湖，也在于山。吴山因春秋时为吴的南界而得名。秋瑾"老树扶疏夕照红，石台高耸近天风，茫茫灏气连江海，一半青山是越中"的诗句，即为"吴山天风"而咏；玉皇山是赏花胜地，苏轼为此留有"井落依山尽，岩崖发与新。岁寒君记取，松雪看苍鳞"的诗篇；天竺山上流传着印度僧人结茅的轶事，清朝陈时《天竺山》诗云："天竺非山名，因寺名乃得。寺分山也分，念彼

76

观音力。至今钟梵声，如在天竺国"；飞来峰上怪石嶙峋，印度僧人慧理曾在此叹道："此乃天竺国灵鹫山之小岭，不知何以飞来"；宝石山上多奇石，五代吴越国王钱镠封"寿星宝石山"；从钱镠再上溯一千多年，秦始皇"上会稽，祭大禹"，途中，因"水波恶"而到宝石山南麓避风，皇船系一巨石之上，后人名之"系缆石"……杭州多泉水溪涧。玉泉、龙井、虎跑享"西湖三大名泉"之誉。九溪十八涧从龙井以南曲折南流，溪随山转，九转而出，奇妙无比，正如俞樾诗云："重重叠叠山，曲曲环环路，丁丁东东泉，高高下下树。"

丝绸天下名

杭州素有"丝绸之府"的美名。白居易诗云："中有文章又奇绝，地铺白烟花簇雪。织者何人衣是谁？越溪寒女汉宫姬。"杭州丝绸之盛可追溯到千年前。当年范蠡向越王勾践进的国策中，就有"劝农桑"的内容。据说，当时"虽秦、晋、燕大贾，不远数千里而求罗绮缯帛者，必浙之东也"。

吴越国时，采取"世方喋血以事我，我且闭关修蚕织"的国策。官府设纺织局，织锦工三百余人。隋唐时，越州生产的"耀光绫""绫纹突起，时有光彩"，作为贡品送至朝廷。当时，钱塘清波门外一带，已是"酒姥溪头桑袅袅""姑妇舍后煮茧忙"的景象。北宋在杭州设"织务"，以收购丝绸品，供宫廷消费。南宋时，杭州出现丝绸专业店铺和市场。范成大《石湖诗集·缫丝行》云："姑妇相呼有忙事，舍后煮茧门前香。缫事嗔嗔似风雨，茧厚丝长无断缕。今年那暇织绵着，明日西门卖丝去。"越州丝绸产量达到"岁出不啻百万"，甚至庵中尼姑织就的花纹绝妙的"尼罗"，也被列为贡品。《烈皇小识》

丝绸博物馆

载，明代杭州织染局年产龙缎三万匹，清时又有增加。"杭绸"成全国名产。"湖水漂净，宜于染色，大红尤佳"，最杰出者为民间织成的"十锦图"，上织西湖十景的图案，时人赞叹："十样西湖景，曾看上画衣。新图行殿好，试织九张机。"（《东城杂记》卷下）

论食亦忘归

浙江饮食素以烹调考究、制作精细、色香味形俱佳著称。杭菜是浙江菜系的主流。《梦梁录》载，南宋时，杭州菜肴达240多种，现在则已发展到600多种。从中能窥到余越饮食文化之一斑。

杭州烹饪与稻作文化的历史相联。《史记·货殖列传》中，就已有"楚越之地，饭稻羹鱼"的记载。杭州名菜"宋嫂鱼羹"，相传是七百多年前一位姓宋的妇女，用鳜鱼创制出来的。清代诗人袁枚《随园食单》中诗云："清明土步鱼初美，重九团脐蟹正肥。莫怪白公抛不得，便论食品亦忘归。"土步鱼形似河豚，最佳食用时节是清明前；到了九九重阳节，又是湖蟹肥美之时。当年白居易"未能抛得杭州去"，且不说西湖胜景，便是那脍炙人口的佳肴，也足以勾留住诗人。袁枚此诗道出了杭菜的魅力。

"东坡肉"曾被定为杭州第一道名菜。相传此菜为纪念苏东坡而命名。苏东坡为杭州太守时，发动民众疏浚西湖，修筑长堤。百姓为表感戴之意，宰猪送酒，给他拜年。东坡将肉与酒放在一起加工后，又回赠百姓。人们吃后觉得味道很美，便争相仿制，并称为"东坡肉"。

为纪念创制者而命名的杭菜还有"叫化子鸡"。传说，有位叫化子捡到一只鸡，却无处烹调。他急中生智，用水土和成泥，把鸡用泥严密地包起来，置于火上烤。结果竟异常美味，"叫化子鸡"的美名也就名闻遐迩了。

清代的几位皇帝曾数下江南，杭菜的典故中也因此增加了几笔。"八宝豆腐"又称"王太守八宝豆腐"，袁枚《随园食单》中有录。史料载，康熙南巡时，传旨让御厨把此菜谱传授给巡按尚书徐健庵，供其年老时享用。巡按为学得这道宫廷菜的做法，还"孝敬"了御膳房一千两银子。后来，徐又授与其门生王楼林，王再传给孙子王太守，此后方在民间流传开来，可谓"旧时王谢堂前燕，飞入寻常百姓家"。"鱼头豆腐"本是寻常菜肴，因"皇恩"竟也成了名菜。相传，乾隆微服私游吴山，遇雨，困在一家屋檐下，饥寒交迫，只得敲门乞食。户主王小二为这位客人炖的是一块豆腐和一只鱼头。乾隆饥不择食，一顿狼吞虎咽。回宫后，犹记这顿美餐。再下江南时，他特意为王小二题写了"皇饭儿"的匾额。这便有了专卖鱼头豆腐的王氏饭店，此传统菜肴由此身价大增。

白居易因西湖之美而不忍辞杭，传为美谈。此前，则有张翰因思乡而退官的佳话。据传，晋朝杭州人张翰在洛阳做官，因见秋风起，转而思念起家乡的美味莼羹鲈鱼脍，叹道："人生贵得适志，何能羁宦数千里，以要名爵乎？"遂辞官返乡。人们即用"莼鲈之思"来表达思乡之情。后有王维"忽思鲈鱼脍"、刘长卿"还乡念莼菜"、白居易"犹有鲈鱼莼菜兴"等咏叹。莼菜，是杭州的名特产，味滑嫩清香，营养丰富。此菜之能扬名，正如叶圣陶所云："丰富的诗意，令人陶醉。"

[钱镠发迹处　南宋偏安地]

杭州历史悠久。秦时，这里为钱唐县。隋文帝九年（589）废钱唐置杭州，"杭州"之名始于此。到了五代时，杭州成为钱氏吴越国首府。北宋时为州治，属两浙路。宋室南渡，驻跸杭州，改名临安，立都152年。元时，改临安府为杭州，成为浙江行省的省会，明清相继。其间，钱镠建杭城和南宋偏安杭州城这两段历史影响最为重大。

钱镠与杭城

钱镠（852—932），字具美，临安县人，出身于私盐贩。唐乾符二年（875）董昌招募乡民，钱镠应召，出任偏将，后任都知兵马使。乾宁二年（895），董昌在越州自称罗平国王。次年钱镠出兵破越州，擒斩董昌，因功授镇海、镇东等军节度使，尽有两浙十三州之地。后梁开平元年（907），封为吴越王。

钱镠是五代十国中的第一个君主，吴越国的第一代国王。他在

79

位期间，以保境安民为国策，兴修水利，发展海上交通，对吴越国境内经济发展起了积极的作用，奠定了杭州繁荣的基础。杭州名胜中，不少与他有关。钱镠着手杭州城的建筑，开始于唐昭宗大顺元年（890），他先筑夹城，又筑罗城，再筑子城。当时的城区范围，南到六和塔，东到候潮门、艮山门一线，北到武林门，西到涌金门、清波门一带，规模已相当大，为南宋都城打下了基础。当然，筑城工程给百姓带来的是繁重的劳役。他们在城门上写了一张纸条："没了期，没了期，修城才罢又开池。"钱镠见后改写为："没了期，没了期，冬衣脱了又春衣。"几十年后，杭州城终于建设成了"地上天宫"、"东南形胜第一州"。

据说当时曾有一位风水术士向钱镠献策："若改旧为新，有国止及百年。如填筑西湖，以建府治，垂祚当十倍于此。"钱镠却回答说："百姓以湖水为生，无水即无百姓！何况哪有千年不换人主的王家呢？我有国百年就够了！"拒绝了术士的建议。

钱镠根据周公"吐哺握发"的典故，造了一座"握发殿"，以广罗人才。相传，钱镠重用的罗隐奇丑无比。罗隐是浙江新城（今富阳）人，在长安应考时，已诗名不凡。据说，宰相郑畋很欣赏其诗，常常将其诗卷带回家去看。郑畋的女儿看了罗隐的诗，竟诵读不已。郑畋以为其女爱屋及乌，对罗隐有意，便请罗隐来家作客。郑畋之女在帘后偷看了罗隐一眼，以后干脆连他的诗也不吟诵了，可见罗

临安钱王祠大殿

隐之丑。罗隐还有一个特点，就是爱借咏史而讽时弊，因此常得罪一些权贵，连续十次参加科考都名落孙山。他足涉南北，却从未得志，最后转至杭州。罗隐以诗呈钱镠，卷首的诗中便有"一个祢衡容不得，思量黄祖慢英雄"的句子。钱镠颇赏其才，回罗隐一字条："仲宣远托刘荆州，都缘乱世；夫子辟为鲁司寇，只为故乡。"罗隐诗中说的是荆州黄祖胸襟狭窄，容不得名士祢衡的讽喻而将他杀死一事。钱镠则借三国王粲和春秋时孔子的故事，表示自己不是乱世之君，希望罗隐回家乡来。罗隐看后，决计留下。当时钱镠因大兴土木，对百姓增加了税赋。西湖上的渔民，每天都要上交数十斤鱼，供王室享用，叫做"使宅鱼"。渔民有时捕不到鱼，只好到市上买了再交上去，叫苦不迭。有一天，罗隐进见时，钱镠拿出一幅《磻溪垂钓图》，请他题诗。罗隐写道："吕望当年展庙谟，直钩钓国更何如？若教生在西湖上，也是须供使宅鱼！"钱镠见了，心有所会，即传令免去这一税赋。

传说钱镠出生那天，其父钱宽恰外出帮工。在回家路上，忽见村里升起一道红光，他以为家里失火了，吓得拼命大喊"救火！救火！"跑近一看，并没失火，正在这时，房里传出婴儿啼哭声。原来是妻子生下了一个男孩。钱宽认为不吉，要将他投入井中，幸亏阿婆留养了他。因此，钱镠的小名叫"婆留"。现在临安县还有婆留井的遗迹。

钱镠被封为吴越王后，曾"衣锦还乡"一次。他在黄幄中摆开酒筵，盛宴家乡父老。他规定，凡年龄在七十岁以上者用银樽，八十岁以上者用金樽，九十岁以上者用玉樽，尽兴斟饮。他捧着酒爵，高声吟唱当年流行的"吴歌"："汝辈见侬的欢喜，吴人与我别是一般滋味，子长在我心子里。"

钱镠的王妃戴氏，原是农家姑娘。虽封为王妃，还是岁岁"归宁"。据前人笔记载：王妃每岁归宁，王遣书曰："陌上花开，可缓缓归矣！"此事后被编成山歌，在民间久传。苏轼《陌上花》诗曰："陌上花开蝴蝶飞，江山犹是昔人非。遗民几度垂垂老，游女长歌缓缓归。"

钱镠及其继承者都笃信佛教。现在杭州的不少寺院和佛塔就是

那时兴建的。《西湖游览志余》载："杭州内外及湖山之间，唐以前
为三百六十寺，及吴越立国，宋室南渡，增为四百八十，海内都会
未有加于此者。"杭州"四大丛林"中的昭庆寺、净慈寺是吴越时建
的，灵隐寺也在那时得以扩建。当时还建造了保俶塔、六和塔、白
塔和雷峰塔，创建了理安寺、六通寺、灵峰寺、云栖寺、韬光寺、法
喜寺等，故当时杭州有"佛地"之称。

后唐明宗长兴三年（932），钱镠病逝，终年八十一岁。其墓址
在今临安县安国山南麓。北宋熙宁十年（1077），杭州郡守赵抃特地
为钱镠建立"表忠观"（即钱王祠），以表彰其功绩。诗人苏东坡称
道钱镠有保卫两浙之功，立《钱氏表忠观碑》于钱王祠侧。他《于
潜女》诗有"老濞宫装传父祖，至今遗民悲故主"句，说明宋时的

乡里，还穿着吴越的服装，讲着吴越的故事，形象地反映了钱镠在百姓心中的地位。

"临安"终难安

北宋时，杭州成为"四方之所聚，百货之所交，物盛人众"的大都会。柳永《望海潮》词中写道："东南形胜，三吴都会，钱塘自古繁华。烟柳画桥，风帘翠幕，参差十万人家。"嘉祐二年（1057），宋仁宗赠诗杭州知府，称杭州"地有湖山美，东南第一洲"。

1126年，汴京失陷，宋室南迁。绍兴八年（1138），正式定都临安。此后的一百四十年间，杭州成为南宋王朝的政治、经济、文化中心。

南宋时期，临安府城多次扩建，南跨吴山，北到武林门，左靠钱塘江，右近西湖。号称"中兴之主"的赵构，大兴土木，在凤凰山麓建造了周围达九里的豪华紫禁城。紫禁城内有十九宫、三十殿、三十三堂、七楼、二十阁、六台、一轩、六阁、一观、九十亭。《马可·波罗游记》惊叹："宫殿规模之大，在全世界可以称最。"为"游幸湖山"，南宋皇帝专门营造龙舟巨舫数百艘。游湖时，"御舟四垂珠帘，锦幕悬挂七宝珠翠。宫姬韶部，俨如神仙，天香浓郁，花柳避妍"。皇帝还于禁苑内挖一小西湖，凿石为山，人工筑一座飞来峰，旁置冷泉亭，建聚远楼。官宦们也相继造园四十多处，其中最著名

无土兰
郑思肖

者有奸相秦桧在望仙桥建的格天阁相府，权宦贾似道在葛岭建的养乐园等。

南宋统治者偏安江南一隅，甘心屈辱求和，百般阻挠军民抗战，甚至杀戮岳飞等抗金名将。他们的卑劣行径，遭到了国人尖锐的嘲讽。人们题诗讽刺好养鹁鸽的赵构："鹁鸽飞腾绕帝都，暮收朝放费功夫。何如养个南来雁，沙漠能传二帝书。"林升的一首诗，更为辛辣："山外青山楼外楼，西湖歌舞几时休？暖风熏得游人醉，直把杭州作汴州。"（《题临安邸》）

南宋六代皇帝葬于绍兴东南的攒宫山，其陵墓称"宋六陵"。

西湖

[西子倩影]

七千多年前，西湖为钱塘江的一个浅海湾。南面的吴山和北面的宝石山相对，是环抱这个海湾的两个岬角。由于长江、钱塘江和

附近群山中的溪流带来了许多泥沙，不断堆积，塞住湾口，使沙洲增长，最后连接成陆地，其内侧便形成了一个泻湖。始称武林水，后称明圣湖，又因"湖有金牛"，而名金牛湖。唐代，因湖在钱塘县境内，更名钱塘湖。隋时筑杭州城，因湖在城之西，遂名西湖。因苏轼有"若把西湖比西子，淡妆浓抹总相宜"句，又称"西子湖"。

"大海的婴儿"

在民间，人们因西湖的由来而称之为"大海的婴儿"。有这样一个美丽的传说：古时，玉龙和彩凤琢磨出一颗明珠，光明四射，照到哪里，哪里就会变成阆苑仙境。后来，此明珠被西王母盗走。玉龙和彩凤找王母娘娘评理。争抢中，金盘摇晃，明珠滚落到地上，形成清似明镜的西湖。又传西湖原是一位女神，她手托明珠，促成了藕儿和红莲的婚事，最后共同生活在碧波涟漪的湖水中。

蓬莱三岛

湖中小瀛洲、湖心亭、阮公墩，人称"蓬莱三岛"。

小瀛洲，是人工堆积而成的小岛。北宋元祐四年（1089），苏轼任杭州知县时，疏浚西湖，筑成苏堤，又在湖面上立三座石塔，禁止在塔内植菱种茭，以防湖水淤积，名"三潭"。南宋时，祝穆、马远等以其地风景秀丽，而名之为"三潭印月"。但此三塔后被捣毁。明时，钱塘县令聂心汤仿苏轼募民浚湖之举，取淤泥在湖中堆积一岛，又在岛外筑一环状堤埂，成为"湖中之湖"，在岛上建一湖心寺。为了恢复三潭旧迹，又在堤南湖中，重建了三塔，远望似倒覆石香炉的三只巨足。民间据此而有鲁班兄妹造石香炉，镇压湖中黑鱼精的传说。三潭印月的景致，即由三个石塔和小瀛洲两部分组成。

小瀛洲上，原有清朝显臣彭玉麟所筑的退省庵，彭死后，改作彭公祠。辛亥革命后，又改为先贤祠，祀明末清初吕留良、杭世骏、黄宗羲、齐周华等四学者。他们皆具强烈的民族意识，故被尊为先贤。后又废祠而改为敞轩，由赵朴初题额"小瀛洲"。

在康熙所题的"三潭印月"石碑前，有"我心相印亭"。亭正对三潭印月之石塔。"我心相印"系禅语，即"不必言说，彼此意会"之意。

"碧天清影下澄潭，万顷金波镜里看。"三潭印月，古来以赏月胜地著称。《西湖志》云："月光映潭，分塔为三，故有三潭印月之目。"画家也绘三石塔，各悬一月影于中。而《湖壖杂记》则载："顺治壬辰春，偶同王子古直登教场山绝顶，下盼湖中有三大圆晕见于放生池之左侧。询之山僧，僧曰：'此所谓三潭印月也。'因悟印月之说，谓其似月而非真月，向之画工大误矣。"

三潭印月北面是湖心亭。据说此处即苏轼所立三塔中北塔的旧址。明朝张岱《西湖梦寻》云："游人望之如海市蜃楼，烟云吞吐，恐滕王阁、岳阳楼无其伟观也。"此岛在明嘉靖年间堆土而成，岛上建振鹭亭。因处全湖最中心，人们称之为湖心亭。康熙曾亲临岛上题"静观万类"、"天然图画"额。湖心亭上有对联云："四季笙歌，尚有穷民悲夜月；六桥花柳，浑无隙地种桑麻"。

阮公墩是阮元用疏浚西湖的淤泥堆积而成的。阮元（1764—1849），字伯元，号芸台，又号公达，江苏仪征人，是清代的著名学者，被后人称为"才通六艺"的"一代经师"。阮元曾先后任浙江学

政和巡抚。在这期间,他不仅修缮名胜古迹,疏浚西湖,而且提倡汉学,创办诂经精舍,创设浙江最早的公立图书馆"灵隐书藏",并编纂《经籍纂诂》、《畴人传》。他的诗文并茂,留下了不少吟咏杭州西湖的诗文。后人曾在吴山重阳庵旧址建造阮公祠,并将此处称为阮公墩。一百多年来,不少人想在上面建造楼台别墅,但均因土质松软而未果。清道光年间,彭玉麟退居杭州,想在阮公墩上建一"闲放台"。他与儿女亲家俞樾同到阮公墩勘察址基,以竹竿戳地,竿即入土中。两人大笑:"阮公墩,真软公墩也。"后只好将闲放台筑在小瀛洲。

阮公墩的诞生，使西湖上形成三岛鼎足而立的布局。因此可以说阮元是"蓬莱三岛"园林布局的最后完成者。

[西湖十景]

古人云杭州西湖"四百八十可游处，三万六千堪醉时"。人们把西湖最著名的景点归纳为"西湖十景"。据宋人王洧和明人聂大年的诗，"西湖十景"是：苏堤春晓、断桥残雪、雷峰夕照、曲院风荷、平湖秋月、柳浪闻莺、花港观鱼、南屏晚钟、三潭印月、双峰插云。

关于"西湖十景"的来历，民间相传着织锦能手柳浪和柳林中黄莺姑娘的故事。柳浪织锦，黄莺唱歌，织出西湖九景的锦缎，被皇帝看中，非要她在一夜之间织出西湖十景的锦缎。黄莺请来了画眉、八哥、百灵、芙蓉鸟等众姐妹，赶织了出来。从此，便有了"西湖十景"。

自然，传说终归只是传说。"江山之美，因人而彰"，中国山水之美，多源自"发现美的眼睛"，并多是和人文景观相结合的具有浓郁人文意蕴的"人化的自然"。古来几乎处处都有的"八景"、"十景"，概莫能外。当然，钟灵毓秀的"西湖十景"可能要更典型，更富有诗意些。

"西湖十景"中的三潭印月已在前文谈及，下面分述其他诸景。

苏堤春晓

苏堤俗称苏公堤，因纪念苏轼而名。苏堤南起南屏路，北接曲院风荷，全长2.8公里，为苏轼疏浚两湖时以湖中淤泥堆筑而成。堤的南端建有"苏东坡纪念馆"。

苏堤之美，首数春日之晨。当地有民谣曰："西湖景致六吊桥，一枝杨柳一枝桃。"六吊桥，指堤上映波、锁澜、望山、压堤、东浦、跨虹六座石拱桥。杨柳和桃花，则是烟柳笼纱、桃花飞霞、莺声和鸣的"苏堤春晓"之形象写照。在元代的"钱塘十景"中，此处又被称为"六桥烟柳"。

苏堤

断桥残雪

　　断桥位于西湖白堤东端。"断桥残雪"所以成为西湖十景之一，是因为每当冬末春初这里都有一种独特景观：往往桥的阳面冰雪消融，阴面仍铺琼砌玉，冬景尚存，春意萌动，富有诗意。昔有谣称：西湖之胜，晴湖不如雨湖，雨湖不如月湖，月湖不如雪湖。而此处又背城面山，正处于外湖和北里湖的临界处，视野开阔，是冬天观赏西湖雪景的最佳去处。当然，此景的盛名，还与民间广为流传的《白蛇传》有关：白娘子与许仙美丽而悲怆的爱情故事，正是从断桥相会、借伞定情开始的。

　　然而，关于"断桥"一名的来历，却至今莫衷一是。有说因起自平湖秋月的白堤至此而断，故称断桥；有说古代桥的两端有桥门，春暖花开时，桥上雪化时桥门积雪犹存，所以桥看上去像断了；还有说此处宋代称宝祐桥，元代因桥畔住着一对以酿酒为生的段姓夫妇而称段家桥，断桥即是其谐音和简称。其实，断桥之名并非起于元代，早在唐代，诗人张祜即有"断桥荒藓涩"的诗句了。现桥为

1914年改筑。桥东有"云水光中"水榭和"断桥残雪"碑亭。

雷峰夕照

雷峰塔在净慈寺前的夕照山上。南宋以来，"雷峰夕照"被列为西湖十景之一。每当暮色降临，夕阳的金色余晖，独映在雷峰塔上，塔影横空，彩云缭绕，景色奇绝。元朝尹廷高有诗云："烟光山色淡溟濛，千尺浮屠兀倚空。湖上画船归欲尽，孤峰犹带夕阳红。"

雷峰塔初建于开宝八年（975），相传为吴越王钱镠为庆贺黄妃得子而建，故原名为黄妃塔。后因此塔建于雷峰，而称为雷峰塔。塔共七层，重檐飞栋，窗户洞达，内藏有佛螺髻发和八万四千卷佛经。明嘉靖年间，倭寇入侵杭州，疑塔中有伏兵，纵火焚塔，仅剩塔心，故有"雷峰如老衲"之喻。

　　民间传说此塔可镇西湖中青鱼、白蛇之妖，为"镇妖塔"，塔砖也为"镇妖砖"。于是人们不断来此挖取塔基的砖块，雷峰塔终于在1924年5月25日午后倾圮。

　　据传说，雷峰塔与民间故事《白蛇传》有关。白蛇与青蛇思凡下山，化为美丽少女，同游杭州。在西湖断桥，白蛇与青年许仙相

仅剩塔心的雷峰塔

烟光山色淡溟濛，
千尺浮屠兀倚空。
湖上画船归欲尽，
孤峰犹带夕阳红。
——〔元〕尹廷高

遇，并结为夫妇。法海和尚以白娘子为妖，一再从中破坏，终借佛法将她永镇雷峰塔下。这一传说故事，表现了反抗封建礼教、追求爱情自由的思想。

雷峰塔周围，曾建有屏山园、真珠园、湖曲园、胜景园等南宋时的著名园苑。其中，胜景园曾为南宋权臣韩侂胄的别业。韩大加修葺后，将此园更名为南园。陆游所撰《南园记》称"自绍兴以来，王公将相之园林相望，莫能及南园之仿佛者"。

辛亥革命时期，雷峰塔近处的白云庵曾作为革命党人秘密聚会之所。徐锡麟、秋瑾等在此开过会，陶成章曾在此避难。1913年4月，孙中山为其题"明禅达义"匾额。

雷峰塔近年已重修。

曲院风荷

曲院原称"麯院"。宋时在洪春桥溪流旁有酿造宫酒之麯院，其地多荷，花开时风动荷叶，清香四溢，故名"麯院荷风"。宋代诗人杨万里诗云："毕竟西湖六月中，风光不与四时同。接天莲叶无穷碧，映日荷花别样红"。可惜，后日久湮没。清康熙年间，为迎皇帝南巡，特在跨虹桥畔岳湖引种荷花，建有敞堂、迎薰阁、望春楼等。康熙为之书名立碑，改"麯院"为"曲院"，"荷风"为"风荷"。清代学问家俞樾游览时，曾为竹素园书叠字楹联："翠翠红红处处莺莺燕燕，风风雨雨年年暮暮朝朝。"园中"湖山春社"曾为清代"西湖十八景"之首。

近年又作扩建，风荷主景区红、白、粉红、洒金等各种色彩数十个品种的荷花争奇斗艳，真正无愧于古代"芙蕖万斛香"的赞誉。

平湖秋月

此景位于白堤西端，是杭州中秋最佳赏月地之一（另两处是西湖三潭印月的湖中赏月和凤凰山月岩的山上赏月）。其三面临湖，背倚孤山，四周曲栏画槛，直面外湖最开阔处。因此，每当秋高气爽、皓月当空，便有银光泻铺在如镜的湖面、如梦如幻的绝妙景致。楹联"万顷湖平长似镜，四时月好最宜秋"，即是对此景的最好写照。

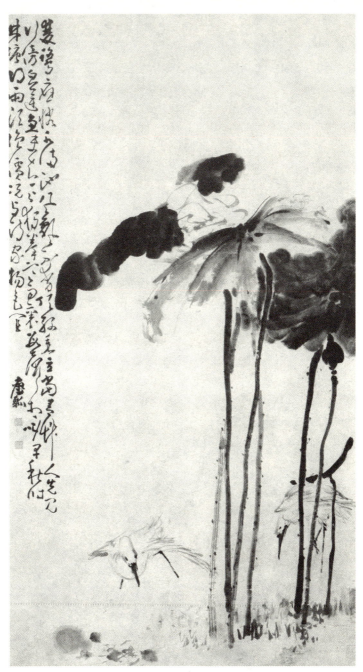

荷雁图
黄慎

唐代在此建有望湖亭，明代改建为龙王祠。清康熙年间又改建为御书楼，并在楼前建低平月台，立碑亭。20世纪50年代，沿湖新建和改建八角亭、四面厅和"湖天一碧楼"等建筑，使景区更为壮观。

柳浪闻莺

此景位于西湖东南岸，涌金门至清波门的滨湖地带。此处南宋时是宋孝宗为奉养宋高宗而建的御花园"聚景园"。园内景色优美，花木葱茏，每至春日，柳浪翻空，莺啼柳荫，便成"柳浪闻莺"之撩人景色。民间关于柳浪和黄莺的故事，更为其增添了迷人的色彩。

南宋灭亡后，渐渐荒圮，经重修扩建而为公园。内有聚景园、闻莺园、友谊园等景区。闻莺园中有典雅别致的闻莺馆。

花港观鱼

此景位于西湖西南角，苏堤南端。据志书载，从前有一条小溪

池趣
吴作人

自花家山流经此地注入西湖，名曰"花港"。宋时内侍官卢允升在"花港"旁介于小南湖和西里湖之间的绿洲上建"卢园"。园中凿池养鱼，有观鱼之景。南宋宫廷画师马远等创绘"西湖十景"，将此园列入，称"花港观鱼"。

清康熙年间，废园重建。园不大，仅一亭、一池、三亩地及"花港观鱼"碑。乾隆南巡至此，有"范家山下流花港，花落鱼身鱼嘬花"之句。

1952年始建占地二十余公顷的大公园，分红鱼池、牡丹园、大草坪、芍药圃、花港、丛林等景区。红鱼池投放红色金鲤，凭栏投饵，鱼人皆乐。牡丹园有安徽宁国县"玉楼春"及各地魏紫、姚黄、绿玉、胭脂点玉、娇容之色等名贵品种。

南屏晚钟

唐宋时，西湖南屏山麓净慈寺内有一铜钟声音洪亮，每到傍晚即在西湖山水间回荡，"却似枫桥半夜听"，令人静心脱俗，因名"南屏晚钟"。寺前立有"南屏晚钟"碑亭。

据载，净慈寺建于五代后周显德元年（954），是吴越王钱弘俶为供养南山佛教开山祖师永明禅师而建，原名"慧日永明禅院"。南宋时改称"净慈禅寺"，与灵隐寺、昭庆寺、圣因寺并称"西湖四大丛林"。明洪武十一年（1378），净慈寺钟楼重铸大钟一口，重两万余斤，传声更为辽远，因有"塔影圆明清净地，钟声响彻夕阳天"之句。可惜后来被废。现青铜大梵钟为1986年重铸，重10余吨，高3米，钟身铸有赵朴初等书《妙法莲华经》文6.8万余字。日本曹洞宗僧众每年除夕夜都要来此处撞钟，以辞旧迎新。

净慈寺后有"神运井"，据说即活佛济公"运木"之古井。神奇的传说，让奇妙的景观更增添了魅力。

双峰插云

宋、元时称"两峰插云"，清康熙南巡，在洪春桥畔置双峰插云亭，改称"双峰插云"。此处为双峰景色的最佳观赏点。

双峰指北高峰和南高峰。两峰其实并不高（南峰254米，北峰

314米），只因湖西近处群山低缓方得"高峰"之名。两峰遥相对峙，其间小山起伏，绵亘约5公里。南方多雨雾，每当薄雾轻岚缠绕或山雨欲来之时，远望双峰若隐若现，如在云端，甚为壮观。宋杨万里有诗云："南北高峰巧避人，旋生云雾半腰横。纵然遮得青苍面，玉塔双尖分外明。"

在南宋"西湖十景"之后，元代又有与其并称为西湖双十景的"钱塘十景"。它们是：六桥烟柳、九里云桥、灵石樵歌、孤山霁雪、北关夜市、葛岭朝暾、浙江秋涛、冷泉猿啸、两峰白云和西湖夜月。

[西湖胜景有新编]

"上有天堂，下有苏杭"，随着祖国的日益昌盛和旅游事业的不断发展，杭州西湖的美景在人们精神版图中的地位亦更为重要。1982年，西湖被确定为国家风景名胜区。1985年入选"中国十大风景名胜"。近年正积极申请，有望加入世界自然和文化遗产。

为了更深入地发掘西湖的历史文化内涵，20世纪80年代又评出"新西湖十景"：

阮墩环碧。西湖三岛之一的阮公墩四周碧波环绕，岛上草木葱茏，竹屋茅居点缀其间，颇有水边渔家之趣。今为西湖第一垂钓区。

虎跑梦泉。虎跑水泡龙井茶，乃西湖双绝，更有性空和尚神奇一梦的传说可资品味。

龙井问茶。龙井位于西湖西南风篁岭，以拥有名泉、名景和名茶著称。龙井泉，为西湖三大名泉之一，其水清凉甘洌，大旱不涸。因此传说它与海相通，海中有龙，故名"龙井"。更奇特的是，搅动泉水时，水面会出现一条宛若"龙须"的分水线。用其沏茶，色香味均极佳。龙井风景优美，乾隆游江南时，曾题有风篁岭、过溪亭、涤心沼、一片云等"龙井八景"，并在翠峰阁后摩崖题刻"湖山第一佳"。龙井茶更是我国十大名茶之一，有色绿、香浓、形美、味甘"四绝"之誉。龙井茶又按狮峰、龙井、云栖、虎跑、梅家坞的不同产地而分"狮、龙、云、虎、梅"五个品种，其中以"狮峰龙井"为最佳。传说乾隆在狮峰下的胡公庙品尝后，曾封庙前18棵茶树为

玉皇山下八卦田

御茶。此后，龙井茶即成为贡品。

吴山天风。吴山在西湖东南，是历代文人雅集之所。吴山先贤堂陈列有与杭州有关的28位历史名人的生平和史绩。吴山的三茅观遗址、十二生肖石及被《儒林外史》誉为"天下第一饼"的蓑衣饼，也都很有特色。

玉皇飞云。玉皇山顶有登云阁，在此远眺钱塘江、西子湖时，脚下似有飞云盘旋，使人不禁有"我欲乘风归去"之感。山上慈云岭造像、紫来洞、七星亭可以一观。南麓的"天子亲耕之田"——八卦田，更有一番来历。在玉皇山上向下俯瞰，可见其田分八角，状如古代八卦，故民间称其为九宫八卦田。此田传为南宋籍田的遗迹。所谓"籍田"，古籍载："籍田者，天子亲耕之田，以供祭祀者也。"说的是南宋皇帝春天祭先农时亲耕于此。此时正值菜花丛开，灿若黄金，非常壮观。

满陇桂雨。满陇即满觉陇，在南高峰和白鹤峰之间。五代后晋天福年间在此建圆兴院，北宋治平年间改称满觉院。"圆"、"觉"，皆佛教语，佛祖十二大弟子即称"十二圆觉"。满觉陇自明即是杭州桂花最盛之处，许多桂树的树龄已超过二百年。现今每年金秋的桂花节都在此举行。

云栖竹径。云栖坞里在杭州城西南五云山西麓。因传有五彩祥云栖留而名。此处古木参天，翠竹如云，历来以清幽著称。

九溪烟树。九溪即指九溪十八涧，顾名思义，此处以溪水取胜。而当水气蒸腾、云雾迷蒙之时，这里便山岚萦绕、青黛如烟。

第二编 杭州之旅

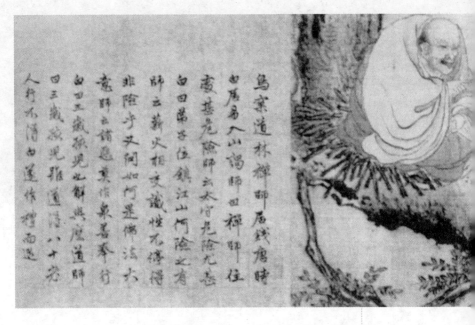

　　宝石流霞。西湖北岸宝石山山石多含氧化铁，阳光下晶莹闪亮，时如彩霞飘浮。山上有保俶塔，为西湖标志性建筑。

　　黄龙吐翠。黄龙洞在栖霞岭北坡，因传说南宋淳祐年间江西黄龙山慧开禅师在此求雨得清泉而名。曾建有道观，为"西湖三大道观"之一，后祀。今建成以"缘"为主题的圆缘民俗园，有"缘石"、"投缘池"、"圆缘台"等建筑，为举办传统婚庆的特色场所。

[西湖三贤]

　　西湖之美，令人倾倒，悠悠岁月中与之结缘者甚众。其中影响最大的要数白居易、苏轼、林和靖这"西湖三贤"。尤其是白、苏，昔《西湖游览志余》云："杭州巨美，得白、苏而益彰。"

白居易与西湖

　　江南好，风景旧曾谙：日出江花红胜火，春来江水绿如蓝。能不忆江南？

　　江南忆，最忆是杭州：山寺月中寻桂子，郡亭枕上看潮头。何日更重游？

白居易拱谒鸟窠指说
南宋
梁楷

白居易墨迹

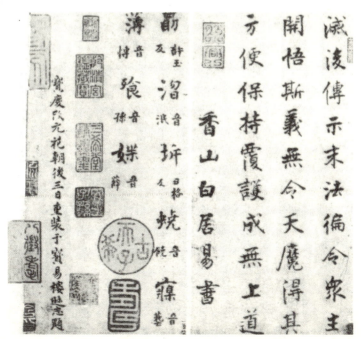

滅後傳示末法徧令眾生
開悟斯義無令天魔得其
方便保持覆護戒無上道

香山白居易書

勤友溜音涂班友蜣音磯療音藝

部玉友溜音涂班友蜣音磯

薄博音瑣音孫蝶音薛

寶慶改元花朝後三日重裝于寶易樓㦪題

这两首脍炙人口的《忆江南》词，为白居易晚年退居洛阳时所作，词中表达了对江南、对杭州的眷恋之情。

西湖之美令人心醉，但其水患也曾给百姓带来灾难。历史上最早发动人民大规模治理西湖的，是白居易。

白居易曾因不满朝廷和官府的横征暴敛，写下大量规讽的诗篇，为百姓的疾苦而呼号。他的讽谏，曾令唐宪宗难堪："白居易，朕所拔擢也，怎敢直言放肆如此？朕岂能堪！"唐穆宗长庆二年（822），白居易被谪迁为杭州刺史。闻报后，他毫无愠色，说："我白居易既蒙拔擢，做一日之官，自当尽一日之职。立朝则尽言得失，守邦则抚字万民，总是一般，何分内外！况闻杭州有山有水，足娱我性情。"乃以"往若投渊鱼"的欢快心情，轻装简从，来到杭州。

白居易到任伊始，即遍访民间疾苦。当时李泌开凿的六口水井俱已湮塞，百姓饮食咸苦之水。西湖堤坝坍塌，周围农田常遭旱涝灾害。白居易疏理六井，让百姓吃上清甜之水，并筑钱塘门至武林门的长堤，把湖水拦蓄在上湖，使下塘一带田地再无旱涝之患。为"堤防如法，蓄泄及时"，他撰写了《钱塘湖石记》，详细说明长堤的作用，以及蓄水、放水、保护堤岸的方法，刻石立于湖旁。还规定："贫民之犯法者，令于西湖种树几株。富民之赎罪者，令于西湖开封田数亩。"这些措施的实行，使西湖出现了新貌。长堤上种了无数的垂杨桃李，一到春天，红红绿绿，绵延数里，像一条锦带。白居易所筑的湖堤，现已湮没。现在西湖上的白堤，原名白沙堤，在白居易来杭前即已存在。因白居易常来此散步，而改称白堤。

白居易治下的杭州，生聚渐繁，百姓日富。这在一首吟咏杭州元宵佳节的诗中可见一斑："岁熟人心乐，朝游复夜游。春风来海上，明月在江头。灯火家家市，笙歌处处楼。无妨思帝里，不合厌杭州。"

"凌晨亲政事，向晚恣游遨"，在政事之余，白居易爱到西湖各名胜处游赏题诗。他还曾与越州（今绍兴）刺史元稹诗函往来，各夸胜地之乐。西湖之美，使白居易诗兴大发。在《杭州春望》一诗中，作者融自然之景与风物人情于一篇，热情赞道："望海楼明照曙霞，护江堤白踏晴沙。涛声夜入伍员庙，柳色春藏苏小家。红袖织绫夸柿蒂，青旗沽酒趁梨花。谁开湖寺西南路，草绿裙腰一道斜。"

白居易在杭期间，"新诗日日成"，甚至打算"只拟江湖上，吟哦过一生"。西湖美景，曾给他许多快慰。其诗云："烦襟与滞念，一望皆遁逃"。白居易常到孤山欣赏湖上景致，在孤山寺听僧侣讲经。有一次，还乘兴作《西湖晚归回望孤山寺赠诸客》："柳湖松岛莲花寺，晚动归桡出道场。卢橘子低山雨重，栟榈叶战水风凉。烟波淡荡摇空碧，楼殿参差倚夕阳。到岸请君回首望，蓬莱宫在水中央。"全诗展现了夕阳下湖光山色的一幕幕图画，孤山寺与蓬莱岛浑然一体，难解难分，弦外之音回荡不绝。

　　白居易任满离开杭州时，百姓倾城相送。诗人非常感动，"处处回头尽堪恋，就中难别是湖边"。他把存在钱库中的官俸，全部留赠州府公用，以补治湖之需。并留诗云："耆老遮归路，壶浆满别筵。甘棠无一树，那得泪潸然。税重多贫户，农饥足旱田。惟留一湖水，与汝救荒年。"

　　白居易在杭州的政绩，当然不仅在西湖，但西湖之美，却与他的治理之功密不可分。

苏轼与西湖

　　"水光潋滟晴方好，山色空濛雨亦奇。欲把西湖比西子，淡妆浓抹总相宜。"这是苏轼的《饮湖上初晴后雨》。在众多的咏湖诗中，此

诗堪称绝唱。由于诗人形象地把西湖比作越国古代美女西施，西湖遂又多了一个雅号：西子湖。

苏轼一生中曾有两次在杭州任地方官。一次是熙宁四年（1071），他三十六岁时；另一次是在元祐四年（1089），他五十四岁时，两次总共五年。在这期间，他与西湖朝夕相处，为杭州百姓做了不少好事。他在《送襄阳从事李友谅归钱塘》诗中云："居杭积五岁，自忆本杭人。故乡归无家，欲买西湖邻。"他已把杭州当作自己的第二故乡。杭州百姓感激苏轼为官的贤明，在西湖设立了多处祭祀他的地方。而流传在民间的关于苏轼的故事，则更表达了百姓对他的爱戴和怀念。

苏堤南起南屏路，北接曲院风荷，横贯西湖南北，全长2.8公里。堤上有映波、锁澜、望山、压堤、东浦、跨虹等六桥。苏轼曾为之题诗："我来钱塘拓湖渌，大堤士女争唱丰。六桥横绝天汉上，北山始与南屏通。忽惊二十五万丈，老葑席卷苍烟空。"

北宋元祐四年（1089），苏轼再任杭州地方官时，适逢大旱，饥疫并作。入秋后，又逢连日大雨，钱塘、太湖泛滥成灾，"农民栖于丘墓，舟楫行于市井"。苏轼深深体会到西湖水利失修问题的严重。他认为，杭州之有西湖，正如人之有眉目。在上呈朝廷的《乞开杭州西湖状》中，他提出了西湖必须疏浚的五条理由，并力排众议，亲拟了浚湖之法。他把朝廷给他的一百道僧人的度牒，卖了一万七千贯钱，加上救灾余款，以工代赈，雇工浚湖。疏浚之时，他每日都到湖上巡视。历时数月，终使西湖复见唐时烟水渺渺、绿波盈盈之旧观。苏轼又命人用葑草和淤泥堆筑成了一条长堤，横贯湖面。这条长堤，便是后来人们所称的"苏堤"。

为了防止西湖再次淤塞，苏轼又在湖中立三座石塔，规定石塔以内的水面不准种植菱藕，不准占湖为田。这三座石塔，以后形成了西湖十景之一的"三潭印月"。

苏堤景色四季不同，晨昏各异，而以"苏堤春晓"最为旖旎。南宋画院的画家把它列为"西湖十景"之首。

苏轼出仕杭州期间，足履踏遍了西湖的山山水水。公务之暇，常带一二名老卒，出涌金门，泛舟游湖，饱览湖光山色，至深夜方回。

他以一首首充溢着深情的诗篇，赞美西湖的四季风光。苏轼之弟苏辙说："昔年苏夫子，杖履无不至。三百六十寺，处处题清诗。"

据丁敬《武林金石录》载，苏轼在西湖的诗文墨迹石刻不下二三十处之多，经历岁月沧桑，保留下来者寥寥无几。但与他有关的许多地名，如醉卧石、过溪桥、参寥泉、六一泉等却保留至今。

临安的玲珑山上有"醉卧石"，与苏轼"三化琴操"的传说有关。

琴操是宋时杭州的一名歌伎。她聪慧善良，喜读佛书，但因家境贫寒而沦落风尘。苏轼首次在杭任职时，琴操只有十三岁。一次，有人唱秦观的《满庭芳》词时，把"画角声断谯门"唱为"画角声断斜阳"。琴操听后马上给予纠正。唱者开玩笑说："那么，你能改韵吗？"琴操把原词的几个字颠倒改动后，当即把"门"字韵换成"阳"字韵："山抹微云，天连衰草，画角声断斜阳。暂停征棹，聊共饮离觞。多少蓬莱旧侣，频回首烟雾茫茫。孤村里，寒鸦数点，流水绕低墙。魂伤，当此际，轻分罗带，暗解香囊。谩赢得青楼薄幸名狂。此去何时见也？襟袖上空有余香。伤心处，长城望断，灯火已昏黄。"苏轼闻知此事，赞叹不已。

苏轼第二次来杭，琴操已二十八岁。苏轼怜她有些佛性，恐她堕落风尘，便要度化她。一次，他招她来湖中饮酒。饮到半酣，苏轼说道："你既喜看佛书，定明佛理。我今权当作一个老和尚，你试来参禅何如？"琴操答道："甚好。"便问道："怎么是湖中景？"

苏轼道："落霞与孤鹜齐飞，秋水共长天一色。"

琴操又问："怎么是景中人？"

"裙拖六幅湘江水，髻绾巫山一段云。"

"怎么是人中景？"

"随他杨学士，憋杀鲍参军。"

琴操再问："如此究竟如何？"

苏轼拍案而起："门前冷落车马稀，老大嫁与商人妇。"

琴操大悟，第二天便削去头发，在故乡临安玲珑山下的庵堂里出家为尼。

后来，苏轼曾专程到临安探访琴操，但琴操已经去世，他看到的只是一抔黄土、一块石碑。苏轼心痛欲碎，醉卧在玲珑山麓的方

103

东坡题竹图
明
杜堇

宁可食无肉
不可居无竹
——苏东坡

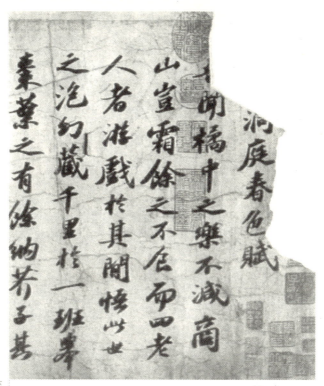

苏东坡墨迹

石上，后人便称此石为"醉卧石"。

苏轼在杭期间，与西湖的诗僧交游甚广，互有唱和。龙井的过溪桥，就是他访诗僧辨才流传下来的古迹。辨才八十二岁时，归老龙井寺。他在寺旁建"远心庵"，作为取静之地，时人称他"远公"。并立一清规，贴于寺内："山僧老矣，精神衰惫，不能趋承。谨以二则预告：殿上闲谈，最久不过三柱香；山门送客，最远不过虎溪。垂顾大人，伏乞相谅，山僧元静叩白。"苏东坡到龙井拜访辨才，两人细论古今，一见如故。苏轼辞别回城，辨才送行，言谈中不知不觉竟过了虎溪桥，小徒急呼："远公，远公，送客已过虎溪桥矣！"两人相顾大笑，东坡道："我误远公，不知戒律。"辨才则答："杜子美有诗云：'与子成二老，来往亦风流'，今日之谓也。"后人便把此桥改名为"过溪桥"，并在桥上建"过溪亭"。

西湖孤山西南麓，有"六一泉"。相传苏轼来杭前，欧阳修把西湖诗僧惠勤介绍给他。苏轼到杭的第三天，便访惠勤于孤山下，惠勤盛赞欧阳修其人其文，并曰："吾以为西湖盖公（欧阳修）几案间一物耳！"第二年，欧阳修逝世。苏轼与惠勤为之痛哭哀悼。几年后，苏轼再次来杭州时，惠勤也已病殁。其弟子画欧阳修像与惠勤像祀之。此时，有一泉自讲堂之下涌出。苏轼遂遵照惠勤生前的愿望，以欧阳修"六一居士"的号，题其为"六一泉"，并作铭纪之。

孤山智果院内，原有参寥泉。参寥为智果院高僧道潜的号。苏轼守黄州时，道潜曾前往探望，苏轼梦中赋诗，有"寒食清明都过了，石泉槐火一时新"之句。过了七年，苏轼再仕杭州。寒食节的第二天，苏轼泛舟访道潜，道潜汲泉钻火，烹黄柏茶款待他。此情此景，正与苏轼梦中诗句相符，遂把此泉命名为"参寥泉"，以纪念两人间的友谊。另外，灵隐的冷泉亭附近的春淙亭、壑雷亭，也是据苏轼"西湖春淙一灵鹫"、"跳波赴壑如奔雷"的诗意而来。

总之，苏轼的名字已经和西湖永远联在了一起。西湖的苏文忠公祠中，有阮元撰的对联，表达了杭州百姓的心愿："欲共水仙荐秋菊；长留学士住西湖。"

林和靖"梅妻鹤子"

孤山兀立于西湖之中，碧波环绕，胜绝诸山。高九万《拜和靖墓》诗云："至函香骨老云根，占尽孤山水月村。荐菊泉清涵竹影，种梅地冷带苔痕。生前已自全名节，身后从谁问子孙？惟是年年寒食日，游人来与醉清尊。"孤山以梅花闻名。来孤山赏梅，不能不想到孤山处士林和靖。明人词曰："雪晴闲览瘦筇扶，过西湖，访林逋。"

林和靖（967—1028），名逋，字君复，杭州钱塘人。少而孤，无所依傍。既长则淡于名利，但励志为学，经史百家，无不通晓。曾周游江淮之间，因与时尚不合，又觉各地山水多不及西湖，遂回棹结庐于孤山北麓，心存不娶不仕之志，以作字题诗自适其意。

林和靖非常爱梅，隐居孤山后，遍种雪梅。所题咏梅诗句亦甚丰，其中多有绝妙佳作。如《山园小梅》：

众芳摇落独暄妍，占尽风情向小园。疏影横斜水清浅，暗香浮动月黄昏。霜禽欲下先偷眼，粉蝶如知合断魂。幸有微吟可相狎，不须檀板共金樽。

孤山放鶴
清
上官周

孤山放鶴

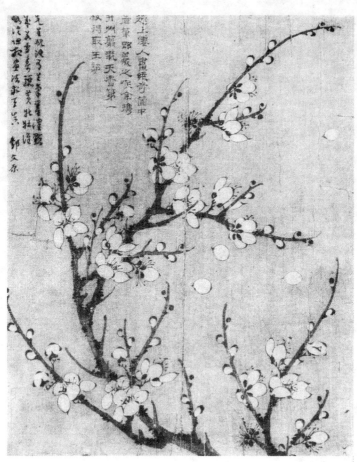

墨梅图
元
佚名

　　其他如："雪后园林才半树，水边篱落忽横枝"、"湖水倒窥疏影动，屋檐斜插一枝低"、"蕊讶粉绡裁太碎，蒂疑红绡缀初乾"、"横隔片烟争向静，半粘残雪不胜清"等，亦把梅花的风姿情志摹写殆尽。

　　在林和靖的精心栽培下，梅树日增月累，孤山的风景也迥殊往昔。慕名前来赏梅者骤增，林和靖并不深拒，只在门板上告示："休教折损，尽许人看。不迎不送，恕我痴顽。"在种了三百六十株梅树后，林和靖忽然想到："这数竟按着周天之数，一岁薪米可以无虞，是天培植我林君复之处。我之日给，何不竟以梅子所售之利为定则。"因此备一瓶子，将每一树所获之利包成一包，投于瓶中。日取一包，作生活费用，总以梅价之多寡为日用支给之丰俭。

　　林和靖常隐迹山水之间，为应酬来客，便养了两只鹤，称"此犹吾子也"，并曾题诗云："春静棋边窥野客，雨寒廊底梦沧州。"林和靖遨游湖山，竟日不归，殊无定迹。但有客访，则先由家童接待入室，然后放一鹤于空中。见鹤升空，林和靖便知有客，即掉棹还家。他与客人饮酒吟诗，鹤鸣声起舞。其《鸣皋》诗云："皋禽名只有前闻，孤引圆吭夜正分。一唳便惊寥泬破，亦无闲意到青云。"

林和靖高卧孤山三十年，足迹不入城市，恬然自足。好事者谓其"以梅为妻，以鹤为子"，后世遂有"梅妻鹤子"的佳话。林和靖曾有诗表明志："未许尘埃来几席，不妨贫病是湖山。文章自问难追古，光景无多肯负闲。"

当时，诗人梅尧臣曾说："和靖之学，谈道则孔孟，语文则韩柳，趣向博远，直寄适于诗尔。使之立朝，定有可观。"而林和靖每每听到劝其当仕之语，只付之一笑。晚年，为坚定归老孤山的志向，便自造一墓庐。临终自题："湖上青山对结庐，坟前修竹亦萧疏。茂陵他日求遗稿，犹喜曾无封禅书。"题毕，踱出庭前，抚摩着鹤顶说："我欲别去，南山之南，北山之北，任汝往还可也。"又对满园梅树道："三十年来，享尔之清供已足矣。从此听尔之舒放荣枯可也。"传说林和靖死后，他养的鹤在其墓前悲鸣而气绝。人们将它葬在墓侧，名之曰"鹤冢"。

林和靖墓在孤山之阴。元胡僧杨琏真伽发其墓，惟端砚一枚，玉簪一枝。

林和靖生前，其诗稿随写随丢，人曰："诗风雅物也，抒写怀抱，使得流传，诗人之荣也。奈何等闲轻视之？"和靖笑曰："情景有会，不能自已，聊托诗以发之，原非为人也。况吾方晦迹，转欲以诗传名，岂不大相矛盾乎？"所以其诗流传下来的仅三百余篇。

范仲淹当年曾诗咏林和靖，以表钦赞之意："片心高与月徘徊，岂为千钟下钓台？犹笑白云多自在，等闲为雨出山来。"

后人思慕林处士高洁情怀，便在孤山之北建起了放鹤亭，林则徐曾为放鹤亭撰下"世无遗草真能隐；山有名花转不孤"的对联。

林和靖以不仕而自豪，宋真宗赵恒竟也敬重这位孤高自标的处士，赐号"和靖处士"。

林和靖死后三百多年，有位宋朝君主也钦羡和靖气节，咏诗怀念，却因此而丢掉性命，这便是赵㬎（又称少帝、幼帝、恭帝、德祐皇帝）。1276年，元军攻入临安城，七岁的德祐皇帝赵㬎沦为阶下囚。忽必烈为招徕南宋文臣武将，封他为瀛国公。后又令他到土蕃（今西藏）的萨迦大寺，学习佛法。赵㬎伴着青灯黄卷、晨钟暮鼓，度过了几十年的岁月。他学会了藏文藏语，翻译了深奥的佛教逻辑专著《因明入正理论》，并曾任总持，改名为合尊法宝。1323年，年过半百的赵㬎在寺中题诗："寄语林和靖，梅花几度开？黄金台下客，应是不归来。"元人认为，赵㬎诗咏林和靖，是借题发挥，怀恋故国，煽动人心。这位昔日君临天下的帝王，终于有口难辩，被赐死在河西（今甘肃河西走廊）。

[西湖清韵]

千百年来，美丽绝伦的西子湖令一代又一代游人为之魂牵梦萦。西湖之美，已融入了人们的思想与情感。这其中，就有历代英雄俊杰、诗人词客的众多诗篇。这些题咏之作，已成西湖胜迹中不可分割的一部分。而围绕这些作品所传诵的西湖诗话，更为人们所热衷。

"吴山第一峰"

吴山在西湖群山的尾部。远在西湖形成之前，吴山即是海湾的一个岬角，渔民常年在山顶晒网，因此初名晒网山。春秋时，越败于吴，此地成了吴国的南界，于是始称吴山。后吴王夫差屈杀伍子胥，并沉其尸于钱塘江，吴人为伍子胥的忠心所感，在此山上立祠纪念，故吴山也称"伍公山"、"胥山"。五代时，钱镠在山上建城隍庙，此后杭州人又呼之为"城隍山"。"吴山大观"是西湖十八景之一。

吴山上刻有"吴山第一峰"的题字。据说这源出于完颜亮的诗句，其中有野史一段。

北宋时，词人柳永写了一首《望海潮》词，云：

东南形胜，三吴都会，钱塘自古繁华。烟柳画桥，风帘翠幕，参差十万人家。云树绕堤沙，怒涛卷霜雪，天堑无涯。市列珠玑，户盈罗绮，竞豪奢。　　重湖叠巘清嘉。有三秋桂子，十里荷花。羌管弄晴，菱歌泛夜，嬉嬉钓叟莲娃。千骑拥高牙，乘醉听箫鼓，吟赏烟霞。异月图将好景，归去凤池夸。

据罗大经《鹤林玉露》载，金主完颜亮读《望海潮》后，垂涎江南之富饶美丽，顿起投鞭渡江南侵之念。《桯史》载，完颜亮密遣画工潜入杭州，画下西湖全景，带回金国，制成屏风，并添上自己跨马立于吴山之巅的画像，题诗道："万里车书盍会同，江南岂有别疆封？提兵百万西湖上，立马吴山第一峰。"吴山由此有了"第一峰"之称。

南宋谢处厚为此赋诗："谁把杭州曲子讴？荷花十里桂三秋。那知卉木无情物，牵动长江万里愁。"对柳永之词不无怨责。罗经纶则认为，柳词并无过错，而西湖风景过美，南宋君臣流连于此，偏安一隅，忘顾中原，是则可恨。其诗云："杀胡快剑是清讴，牛渚依然一片秋。却恨荷花留玉辇，竟忘烟柳汴宫愁。"

不论文人墨客如何品评，柳永的《望海潮》都不失为西湖诗篇中的杰作。

111

"人面桃花"感崔护

紫阳山宝成寺附近有感花岩。相传在一个春光烂漫、百花吐艳的季节，唐代诗人崔护独游吴山，因口渴，轻扣柴扉乞茶。一个美丽的少女热情地接待了他。两人虽未通言语，却相互倾心，不胜依恋。次年春天，崔护再上吴山，寻访此女，但见门墙如故，桃花依旧在春风中凝情含笑，而那个给他留下无限思念的少女却不知何处去了。怅惘之余，崔护在壁间题诗："去年今日此门中，人面桃花相映红。人面不知何处去，桃花依旧笑春风。"

到了宋朝，苏轼到宝成寺赏牡丹，有感于此事，也在壁间题诗："春风小院却来时，壁间惟见使君诗。应问使君何处去，凭君说与春风知。年年岁岁何穷已，花似去年人老矣。去年崔护若重来，前度

小青小影图
清
顾洛

刘郎在千里。"

后人将苏轼的诗镌刻于岩上，因称感花岩。后又有崔世名题诗：
"抚石看诗岁已徂，君王复许长西湖。风流未必同崔护，感激依然忆
大苏。渴笔岩空勤拂拭，短筇人醉强支吾。前生或恐求浆者，笑问
桃花事有无。"崔世名在感慨之中笑问"人面桃花"之事是否为苏轼
前生之所历，则又给这则佳话添了谐趣的一笔。

孤山梅屿冯小青

西湖孤山的梅屿，曾有过一段凄凉的往事。相传，明时，扬州
少女冯小青被杭州富家子冯生娶为妾，遭冯妻忌恨、凌虐，后被软
禁于梅屿，备受折磨，郁郁而死，死后葬于孤山北麓。

冯小青素娴仪则，能解诗文，在梅屿常常顾影自怜，对影絮语。
支如增《小青传》载："斜阳花际，烟空水清，辄临池自照，絮絮如
问答，女奴窥之则止。但见眉痕惨然。尝有'瘦影自临春水照，卿
须怜我我怜卿'之句。"

冯小青幽愤悲怨，无可诉说，多托之于诗词。雨滴空阶之夜，曾
题一绝："冷语幽窗不可听，挑灯闲看《牡丹亭》。人间亦有痴于我，
岂独伤心是小青！"每有吟咏，便寄与一位知交杨夫人。后杨夫人
从宦外游，遂无一人可语。每到夕阳落山时，空烟薄霭，惟以吟诗
排遣其寂寥时日。其诗云："脉脉溶溶漾潋波，芙蓉睡醒欲如何？妾
映镜中花映水，不知秋思落谁多？""乡心不畏两峰高，昨夜慈亲入
梦遥。见说浙江潮有信，浙潮争似广陵潮。""百结回肠写泪痕，重
来惟有旧朱门。夕阳一片桃花影，知是亭亭倩女魂。""春衫血泪点
轻纱，吹入林逋处士家。岭上梅花三百树，一时应变杜鹃花。"

冯小青的诗作凄楚动人，表达了这位薄命女子的不平与哀怨，
给这一传说增添了浓烈的悲剧气氛。明代徐翙据冯小青的故事，写
有《春波影》杂剧。

随园诗情出西湖

"江山也要伟人扶，神化丹青即画图。赖有岳于双少保，人间始
觉重西湖。"这是袁枚《谒岳王墓作十五绝句》的第十首。

袁枚（1716—1798），字子长，号简斋，后以其居随园而自号"随园老人"。有《随园诗文集》和《随园诗话》传世。

袁枚生在杭州，长在杭州，对西湖的山川草木都怀有深厚的情感，写下了不少描绘西湖的佳作。如："月明如水浸沙堤，堤上游行一杖携。惹得家僮没寻处，夜深孤坐断桥西。""葛岭花开二月天，游人来往说神仙。老夫心与游人异，不羡神仙羡少年。"

袁枚亦曾以《钱塘怀古》诗抒发其忧国忧民之情："江上钱王旧迹多，我来重唱百年歌。劝王妙选三千弩，不射江潮射汴河。"

雍正、乾隆年间，称雄我国诗坛的有两大派别，一是"格调"派，主张学古，以沈德潜为首；一是"性灵"派，主张抒写性情，强调创新，此派即以袁枚为代表。袁枚的咏西湖诗也正是其诗歌主张的出色实践。

西湖一带关于袁枚的传说甚多。其中有"袁枚断桥试秀才"的故事。说一位进杭城应试的秀才，途中遭劫，身无分文，无处栖身。在断桥，他遇到了袁枚。袁枚得知其遭遇后，以"落花"为题，命他赋诗一首。秀才随口吟咏，其中有"入宫自讶连城价，失路偏多绝代人"两句，袁枚赏识不已，便留他住宿，并以银两相赠。

小楼风雨西湖愁

世味年来薄似纱，谁令骑马客京华？小楼一夜听春雨，深巷明朝卖杏花。矮纸斜行闲作草，晴窗细乳戏分茶。素衣莫起风尘叹，犹及清明可到家。

这首著名的《临安春雨初霁》诗，写于淳熙十三年（1186）。当时，诗人陆游已六十二岁。奉孝宗命，他满怀着抗战的希望，从绍兴来到临安。但孝宗只是赏识其诗才，而未理会其爱国主张，仅任命他为严州太守。诗人心情悒郁，寓居于小楼之上，卧听雨声，彻夜难眠。

这种作客杭州、旅邸小楼的寂寥、凄恻心情，也表现在范成大和姜白石的诗中。范成大有"酿泥深巷五更雨，吹酒小楼三面风"的

诗句。姜白石的《临安旅邸》云:"垂杨风雨小楼寒,宋玉秋词不忍看。万里青山无处隐,可怜投老客长安。"

至于贪恋湖上风光,搭起几间茅棚、栖此修老的寒儒,其况味也常凄凉。钱塘人田世容曾遨游四方,后筑室南屏之西,自号"守庐",自撰一联道:"胡为乎万里归来,只剩得几卷残书,数茎白发;所就者一庐终守,未敢离两行翠柏,半角青山。"

林木参天的丁家山,三面临湖,与北面的孤山遥遥对峙,古称一天山,又称"小孤山",是眺望西湖景致的佳处。这里曾有康有为所建的"康庄"。

1917年,康有为参加张勋复辟。失败后,以"失意政客"身份常驻上海,常往来于沪杭之间。当时的浙江省长夏超,将西湖丁家山滨湖风景地赠给了这位"康圣人"。

清代厉鹗有《登丁家山新亭》诗,云:"百啭莺阑百舌催,游人犹向此山来。双亭半倚林萝山，一壑中分紫薇开。"相传清雍正年间，浙江总督李卫曾在丁家山开辟登山步道二百余级，并遍植桃花，筑桃花源渡亭和八角亭。山上秀石林立，状如芭蕉，有"蕉石山房"之称。传说李卫常携带焦尾琴，来此弹奏"梅花三弄"。因此，被称为"蕉石鸣琴"，列入"钱塘二十四景"。

康有为接受馈赠后，便在丁家山上大兴土木。因他晚年自号"天游仙人"，所以在所有的匾额上都题有"天"字，如"人天庐"、"开天室"、"寥天"、"别有天地"等。在石崖上则题镌了"康山"、"雪岩"等。

康有为卜居丁家山期间，浪迹西湖，心情颓废。虽然西湖的山山水水给他以陶醉和慰藉，但心中总难忘当年叱咤风云的生活。其"一天阁"题联云："割据湖山少许，操鸟兽草木之权，是亦为政；游戏世界无量，极泉石烟云之胜，聊乐我魂"。在三潭印月御碑亭的亭柱上，他曾题写这样的长联："岛中有岛，湖外有湖，通以州折画桥，览沿堤老柳，十顷荷花，食莼菜香，如此园林，四洲游遍未曾见；霸业销烟，禅心止水，阅历千年陈迹，当朝晖暮霭，春煦秋阴，山青水绿，坐忘人世，万方同慨更何之"。

虽有湖山若梦若幻之景，笙歌丝竹之乐，亦且高朋满座，名流齐聚，到底消除不了康有为晚景的苍凉。康有为死后，丁家山又收归公有。康庄的建筑，在抗战时被毁。

现代作家郁达夫曾著《住所的话》，道其住所之理想，也曾兴西子湖畔久住之念。虽然鲁迅为此作《阻郁达夫移家杭州》，他还是花费巨资在杭州场官弄盖成了风雨茅庐，但未及迁入，抗战烽火已起。达夫在飘零海外期间，被日寇杀害，葬身异域，其风雨茅庐也被日寇焚毁。达夫在风雨茅庐盖成之前，写有两首七绝致友人："卜筑东门事偶然，种瓜敢咏应龙篇？但求饭饱牛衣暖，苟活人间再十年。""昨日东周今日秦，池鱼那复辨庚辛？门前几点冬青树，便算桃源洞里春。"可惜达夫之愿，终成泡影！

[西湖金石]

"涛声听东浙，印学话西泠。"西泠印社，是我国金石篆刻的胜

117

地，人称"湖山最胜处"。

西泠印社，坐落在孤山西端。此处既有清幽的环境，秀丽的风景，更有仰贤亭、宝印山房、山川雨露图书室、凉堂、四照阁、观乐楼、三老石室、遁盦、题襟馆、还朴精庐、华严经塔等建筑物，及规印崖、小盘谷、印泉、闲泉、岁青岩、缶龛、潜泉、小龙泓洞等名胜。

唐宋遗华构

西泠印社内，有一小巧玲珑的建筑，是一坐西朝东的竹阁。始建于唐朝，后曾多次毁建。相传白居易任杭州刺史时，常来此偃卧憩息。白居易《宿竹阁》诗云："晚坐松檐下，宵眠竹阁间。清虚当服药，幽独抵归山。巧未能胜拙，忙应不及闲。无劳别修道，即此是玄关。"

竹阁东侧，有柏堂。据说南北朝时，有人植柏树于此，及至宋时，柏已枯萎，但质如金石，扣之有声。一位叫志铨的和尚就在其侧建了此堂。"此柏未枯君记取，灰心聊伴小乘禅"，苏轼曾为柏堂赋诗。

凉堂中原有四幅精美绝伦的巨型壁画，均出自宋朝画家萧照之手。《四朝闻见录》载："孤山凉堂，西湖奇绝处也。植梅数百株，堂中素壁，四堵萧照画。"传说萧照作画时，宋高宗赵构特赐御酒四斗。入夜，萧照每闻一遍更鼓，则饮酒一斗。待落四鼓，酒尽，画亦完成。高宗叹赏不已。

丁敬创"浙派"

孤山上的"小龙泓洞"，是一个人工凿成的岩洞。洞口的岩壁上，凿有题记："东坡游赤壁后八百四十年，凿通岩洞，湖光山渌，呼吸靡间，登临涉览，遂为绝胜，纪念印人雅名，故名小龙泓。"

龙泓是丁敬的号，这一岩洞凝聚着西泠印社对"浙派"鼻祖丁敬的景仰。丁敬，字敬身，早年以卖酒为业，家道贫寒。他喜好研读，博通古今。曾有人荐他去应博学鸿儒科，他谢绝了，一生以布衣为乐，不求闻达。他痴迷篆刻，遍访群山洞壑、寺庙塔幢，临摹

壁画、石刻书法。一次，他正在深山中摩拓石刻，山涧中窜出一虎，他竟毫无察觉。

丁敬治印兼收秦汉以来的精华，博取众长，独树一帜。其《论印绝句》，可视为一代金石大师之遗范："古今篆刻思离群，舒展浑同岭上云。看到六朝唐宋妙，何曾墨守汉家文！"

金石胜湖山

我国的金石篆刻艺术始于先秦，但当时只是作为封缄凭信的印章，以后才逐渐由实用发展为一门书法和雕刻相结合的艺术。当时的印章，多取金、玉、牙、石等质地坚实的印材。明代，画家王冕开始利用青田石刻印，奏刀方便，篆刻之风更加兴盛起来。此后，出现了众多的篆刻名家和流派，其中有以丁敬为代表的"浙派"。

119

　　1913年，"以研究印学"为宗旨的西泠印社正式成立，公推吴昌硕为社长。

　　董必武诗云："西泠诸子工篆刻，丁赵尤为世所称；风格特殊成浙派，缶庐继起迈先行。"西泠印社从成立之时起，就一直成为全国金石篆刻和书画艺术的中心，甚至对海外如日本等国也产生了巨大的影响。

　　每年清明和重阳，是西泠印社集会的日子。届时，印社社员和全国著名金石家、书画家齐集于此，日本著名篆刻家也远道而来，一同探讨金石书画技艺。吴昌硕曾作《西泠印社图》，并题诗云："柏堂西崦数弓苔，小阁凌虚印社开。记得碧桃花发处，白云如水浸蓬莱。"

西泠印社还曾为保存我国古代文物作出贡献。1858年，浙江余姚县客星山出土了《汉三老忌日碑》。碑额残缺，但碑文中有217字基本完好，书体介乎篆隶之间。此碑有"浙东第一石"之誉。当时，这块有一千九百多年历史的珍贵石碑被高价盗卖，几近流落海外。西泠印社的吴昌硕、丁辅之等人为此四处奔走呼吁，发起书画义卖，筹得资金，此碑终于被赎买了回来。为保存这一文物，西泠印社还建了一座"汉三老石室"。

老缶长西泠

"梅花忆我我忆梅"，喜爱西湖，尤爱孤山之梅，这是一代金石书画大师吴昌硕的雅兴。

丁敬、吴昌硕印

吴昌硕（1844-1927），名俊，一名俊卿，初字香补，或作香圃，中年后改字昌硕，亦署仓硕、苍石，别号缶庐、老缶、苦铁、破荷、大聋等，浙江吉安人。他去世后，西泠印社的同人们将他的一尊胸像安置于孤山，让孤山的梅花永远陪伴着这位梅的知音。

吴昌硕曾在乡间流浪五年，生活困顿，却不忘读书。他向俞樾学习作诗和书法，向任伯年学习绘画，并与杨见山、蒲华、胡公寿等经常交往，得到启发，最后把金石书画融为一体而自成一格。其书法擅石鼓文，篆刻钝刀硬入、朴茂苍劲；绘画笔墨坚挺、气魄厚重、色彩浓郁、结构突兀。

吴昌硕推崇徐渭、朱耷、石涛、陈洪绶、赵之谦的作品，从"狂怪"中"求理"，又从"规矩"中求"豪放"。而寄萍老人齐白石则对吴昌硕敬慕备至，曰："青藤、雪个远凡胎，老缶衰年别有才；我欲九泉为走狗，三家门下转轮来。"诗中的"青藤"、"雪个"分别指徐渭和朱耷，"老缶"即吴昌硕。人们称吴昌硕的作品"如菊之凌秋，枫之经霜"。清高之气也表现在其为人处世之中。吴昌硕五十多岁时，曾任安东知县。他看不惯官场腐败的恶习，更不愿同流合污，在任仅一个月就愤然辞职，为此刻下一印："弃官先彭泽令五十日。"他被公推为西泠印社社长后，常住在孤山的题襟馆。他盛赞西湖的这一绝胜处："居于此，侧湖山之胜，必当毕集于腕下，骈罗于胸。"七十四岁时，吴昌硕为题襟馆撰一楹联："印岂无原，读书坐风雨晦明，数布衣曾开浙派；社何敢长，识字仅鼎彝瓴甓，一耕夫来自田间。"

吴昌硕1927年病逝，按其遗愿，葬于杭州市北面超山大明堂前素有"十里梅花香雪海"之称的香雪坞中。

[西湖墓寻]

"江山也要伟人扶"，西子湖畔的许多名人墓地，作为一处处珍贵史迹，为柔美的西湖增添了风骨。

岳飞墓

岳飞墓在栖霞岭下岳王庙西侧。墓前建有墓阙，阙前有照壁，上嵌"精忠报国"四字。墓左为其子岳云墓。岳飞墓四周古柏森森，有

岳王庙岳飞塑像

石栏围护。石栏正面望柱上刻着"正邪自古同冰炭，毁誉于今判伪真"的对联。秦桧、王氏（秦妻）、张俊、万俟卨四个罪人的铁像，跪在墓阙之下。墓阙上有楹联："青山有幸埋忠骨，白铁无辜铸佞臣"。

南宋抗金名将岳飞，一生以"迎二圣归京阙，取故地上版图"为志愿，其《满江红》词云："怒发冲冠，凭栏处，潇潇雨歇。抬望眼，仰天长啸，壮怀激烈。三十功名尘与土，八千里路云和月。莫等闲，白了少年头，空悲切。"然而正当他所向披靡，准备"直抵黄龙府，与诸君痛饮"之际，宋高宗却用十二道金牌紧催撤军。人民成群结队拦阻、痛哭，岳飞痛心疾首："十年之功，毁于一旦！"

岳飞班师后不久，投降派秦桧就指使岳飞的部下诬告岳飞谋反，将他逮捕下狱。审讯时，岳飞愤怒地撕裂衣服，露出了背部刺入肌肤的"精忠报国"四个字。御史中丞何铸虽为秦桧门徒，也不由得心中为之一动。经翻来覆去的审讯，何铸认为"岳飞谋反"的罪状缺乏证据，遂得出岳飞无罪的结论，严词拒绝为岳飞定罪。秦桧不得不改换万俟卨主审此狱。

绍兴十一年（1142）十二月二十九日，岳飞在风波亭遇害，同时被害的还有岳云和部将张宪。临刑前，岳飞无限痛心地在狱案上写下："天日昭昭！天日昭昭！"

岳飞被害后，狱卒隗顺将其遗体偷偷地背出钱塘门，埋在九曲丛祠旁的北山坡上，以一玉环陪葬，并植双橘树为记，立"贾宣人

123

之墓"碑，以遮朝廷耳目。隗顺直到临死，也念念不忘自己亲手掩埋的忠骨，嘱其儿子："岳元帅尽忠报国，后必有昭雪其冤者，我不及待，汝记之……"

绍兴三十二年（1163）六月，宋孝宗即位，为顺应民意，宣布为岳飞平反昭雪，并在便殿接见岳飞第三子岳霖时承认："卿家冤枉，朕悉知之，天下共知其冤！"以礼改葬英烈遗骸，葬地即今岳王庙内岳坟。

岳庙正殿西面，有精忠柏亭，这里陈列着古柏的化石。据说岳飞被害后，风波亭边的这棵柏树竟也随即枯死，但仍坚挺似铁。1923年移此，并命名为"精忠柏"。

为了表达对陷害岳飞的奸臣贼子的愤恨，后人铸造了四具铁像，让秦桧、王氏（秦妻）、万俟卨、张俊缚手跪在岳坟前。相传铁像曾数次被窃，其中一次是一位姓秦的抚台所为。这位抚台看见秦桧下跪的丑态，觉得很为姓秦的人丢脸，半夜里命人将秦桧及王氏的铁像丢进了西湖。翌日清晨，百姓见铁像少了两具，就齐到抚台衙门告状。胆战心惊的抚台随众人来到岳坟，却见西湖水不停地向上翻腾，发出阵阵奇臭，不一会，铁像便自湖底泛起，直向抚台漂来。这位秦姓后裔吓得魂飞胆丧，当晚便羞愧交加地溜出了杭州城。翰林院修撰秦涧泉乃明公安派领袖袁宏道的门生，一日与友人同游西湖，在岳王墓题联："人从宋后少名桧，我在墓前愧姓秦"。

于谦墓

于谦（1398—1457），字廷益，号节庵，浙江杭州人。自小聪慧，景仰宋朝民族英雄文天祥。早年在吴山三茅观读书时，见石灰窑有感而作《石灰吟》："千锤万击出深山，烈火焚烧若等闲。粉身碎骨全不怕，要留清白在人间。"

于谦曾任监察御史，河南、山西巡抚。他平反冤案，赈济灾荒，被称为"于青天"。当时政治腐败，地方官吏上京奏事，总是携带大量地方特产作交际之用，惟独于谦不带一物，他说："我入朝怎么没带东西呢？不是有两袖清风吗？"并口占一诗："手帕蘑菇及线香，本资民用反为殃；清风两袖朝天去，免得闾阎话短长！"

明正统十四年（1449），北方瓦剌部酋长也先向明王朝大举进攻，明五十万大军覆没，英宗被俘。于谦从兵部左侍郎升任尚书，拥

西湖于谦墓

千锤万击出深山，
烈火焚烧若等闲，
粉身碎骨全不怕，
要留清白在人间。
——于谦《石灰吟》

第二编 杭州之旅

立景帝，反对南迁。他调集重兵，在北京城外击退瓦剌军。加少保，总理全国军务。第二年，瓦剌送回英宗。天顺元年（1457），英宗发动"夺门之变"，夺回帝位，于谦以"谋反罪"被杀。

于谦一生为官三十多年，至其遇害被抄没家产时，家中没有一件贵重物品，仅有一些书籍。于谦被害的第二年，其遗骸由女婿宋骥运回故乡杭州埋葬。

张苍水墓

张苍水墓在南屏山麓荔枝湾。

张苍水（1620—1664），名煌言，字玄箸，浙江鄞县人。他成长的时代，正是清兵入侵江南、明朝岌岌可危之时。他二十六岁投笔从戎，在浙东多次组织抗清义军，曾"三度闽关，四入长江"，"光复名城三十座"，"潜行穷山二千里"，与清廷斗争了十九年。后见大势已去，遂解散其部，隐居南田悬岙岛（今象山南田），因叛徒出卖而被捕，就义时才四十五岁。

"国破家亡欲何之，西子湖头有我师。日月双悬于氏墓，乾坤半壁岳家祠。"这是张苍水被俘后押往杭州途中所作的一首诗。押送张苍水的船到钱塘江南岸时，忽有一僧人向船舱内投来包着石子的一张条子，张苍水拣起一看，只见其上写着一首诗，其中有"此行莫作黄冠想，静听文山《正气歌》"两句。张苍水心情十分激动，随即吟成《入武林》一诗："国破家亡欲何之？西子湖头有我师。日月双悬于氏墓，乾坤半壁岳家祠。惭将赤手分三席，拟为丹心借一枝。他日素来东渐路，怒涛岂必属鸱责。"他向两岸父老拱手告别，神色自如。

临刑前，张苍水遥望着远近的山山水水，说了声："大好河山，竟使沾染腥膻！"并口占绝命诗一首，然后端坐地上从容就义。其诗曰："我年适五九，复逢九月七。大厦已不支，成仁万事毕。"

张苍水被害后，其故交黄宗羲等醵资收拾遗骸，葬在南屏山麓荔枝湾，并作感人至深的《张苍水墓志铭》：

语曰："慷慨赴死易，从容就义难。"所谓慷慨从容者，非以一身较迟速也。扶危定倾之心，吾身一日可以未死，吾力一

126

丝有所未尽，不容但已。古今成败利钝有尽，而此不容已者长留于天地之间。愚公移山、精卫填海，常人藐为说铃，贤圣指为血路也。是故知其不可而不为，即非从容矣……间尝以公与文山并提而论，皆吹冷焰于灰烬之中，无尺地一民可据，止凭此一线未死之人心以为鼓荡。然而形势昭然者也，人心莫测者也。其昭然者不足以制，其莫测则亦从而转矣。惟两公之心，匪石不可转，故百死之馀，愈见光采。文山之《指南录》，公之《北征纪》，虽与日月争光可也。文山镇江遁后，驰驱不过三载；公丙戌航海，甲辰就执，三度闽关，四入长江，两遭覆没，首尾十有九年。文山经营者，不过闽广一隅，公提孤军，虚喝中原而下之。是公之所处为益难矣！

鄞县张苍水故居
张苍水塑像

当时，张苍水墓仅黄土一抔，连墓碑也没有。但其墓前常有"包麦饭而祭者"，"寒食酒浆，春风纸蝶，岁时浇奠不绝，而部曲过其墓者，犹闻野哭云"。

章太炎墓

章太炎墓，在南屏山麓。东邻净慈寺，西接张苍水墓，倚山面湖，四周松柏挺立。墓前碑文，为章太炎反袁世凯称帝被拘禁时亲书。墓旁有近年新辟"章太炎纪念馆"。

章太炎（1869—1936），名炳麟，原名绛，字枚叔，号太炎，浙江余杭人，近代思想家、学者。据其自订的年谱载，章太炎十二岁"稍知经训"，十七岁初读四史、《文选》、《说文解字》，二十三岁时从余杭来到杭州，入"诂经精舍"，师从俞樾。中日甲午战争后，他抱着"复兴祖国，抵御外侮"的壮心，开始从事政治活动。戊戌政变前，加入康有为的"强学会"和梁启超的"时务报社"。曾主编《民报》、《大共和报》、《华国》月刊和《制言》半月刊，创办"章氏国学讲习所"，长期从事学术研究和教育工作，对中国哲学、文学、历史学和语言学等均有贡献，留下四百多万字的著述。

1903年6月30日，章太炎因在《苏报》上发表《驳康有为论革命书》，并替邹容的《革命军》作序，遭上海租界当局逮捕。在狱中，

杭州章太炎纪念馆

他坚持斗争，曾经绝食以示抗议。后邹容亦被捕。当时报载，章、邹表现得可歌可泣。数日后，章炳麟作《狱中答新闻报》，声言"吾辈书生，未有寸刃尺匕足与抗衡，相延入狱，志在流血，性分所定，上可以质皇天后土，下可以对四万万人矣！"

7月15日，第一次会讯在租界会审公廨进行。章炳麟藐视这种审讯，他说："噫嘻！彼自称中国政府，以中国政府控告罪人，不在他国法院，而在己所管辖最小之新衙门，真千古笑柄矣！"

当章炳麟、邹容等被用马车送回巡捕房时，观者填巷。章炳麟于囚车上吟道："风吹枷锁满城香，街市争看员外郎！"

章炳麟、邹容立决死之志，已无畏惧之心，对簿归来，吟哦唱和，赋诗见志。7月22日，章炳麟赠诗邹容："邹容吾小弟，被发下瀛洲。快剪刀除辫，干牛肉作糇。英雄一入狱，天地亦悲秋。临命须掺手，乾坤只两头。"

邹容答曰："我兄章枚叔，忧国心如焚。并世无知己，吾生苦不文。一朝沦地狱，何日扫妖氛？昨夜梦和尔，同兴革命军。"

慷慨悲歌，竟在豪情横溢之中，囹圄之诗，莫此为快。当日传出，人们于捧读之时，不禁泣下。

刑满出狱后，章炳麟东渡日本，参加了孙中山领导的同盟会。

清政府灭亡后，章太炎从日本回国，主编《大共和报》，并任孙中山总统府的枢密顾问。1912年，袁世凯篡权，章太炎不愿同流合污，时时举杯狂饮，饮醉便怒骂，甚至在壁上写满"袁贼"字样以泄愤。袁世凯为笼络人心，授他为国史馆馆长，并赠以大勋章。章太炎"以大勋章作扇坠，临总统府之门，大诟袁世凯的包藏祸心者，并世无第二人"，且叫人将自己的铺盖搬来，要住在总统府门前，非见袁面质不可。袁世凯恼羞成怒，把章太炎软禁在北京龙泉寺。章太炎以绝食的方式进行抗争，甚至在墙上高悬七尺宣纸，上书"速死"两个大篆字。

章太炎生前仰慕张苍水的为人，遗嘱埋骨于张苍水墓旁。1936年6月4日，章太炎在苏州病逝，因抗战未能及时迁葬。1955年，章太炎灵柩移至现址。从此，"北斗文光冲虎跑，南屏山色映牛眠"，西子湖又添一胜景。

129

秋瑾墓

秋瑾死后,没有人敢前往收尸,由慈善机关草草掩埋于绍兴府山之麓,掩蔽无具。几天后由其兄秘密迁至常禧门外严家潭殡舍暂厝。谁知,殡舍主人得知这是"女匪"秋瑾的棺木,便断然拒绝接收。只好转移到大校场的附近,以草扇掩遮风雨。几个月后,秋瑾的生前好友徐自华、吴芝瑛遵照秋瑾生前的愿望,冒险护送灵柩来杭,把烈士安葬在西泠桥畔。吴芝瑛亲书墓碑,徐自华撰写墓志铭。不久,清政府下诏平墓,灵柩又一度暂厝在义冢地里。

辛亥革命胜利后,秋瑾的遗骨才得再度迁葬西泠原址,并在临湖处筑了秋社和风雨亭。1912年,孙中山亲临致祭,亲笔写下"巾帼英雄"的挽幛,并题写一挽联:"江户矢丹忱,感君始赞同盟会;轩亭洒碧血,愧我今招侠女魂"。

西湖风雨亭
(亭名取自秋瑾就义时所写"秋风秋雨愁煞人"之诗句)

130

绍兴城南，有秋瑾故居。轩亭口有秋瑾烈士纪念碑。府山西南山峰有风雨亭。周恩来于1939年到绍兴时，曾题词："勿忘鉴湖女侠之遗风，望为我越东女儿争光。"

秋瑾挚友、民主革命义士徐锡麟、陶成章也长眠在西子湖畔。

苏曼殊墓

孤山北麓，原有近代文学家苏曼殊墓和曼殊塔。

苏曼殊（1884—1918），原名玄瑛，字子谷，出家为僧后，号曼殊，广东香山（今中山）人。曾留学日本，漫游南洋各地。一生主要从事教育及文学、佛学的著述翻译工作。与章炳麟、柳亚子等人交游，参加过南社活动。作品曾辑成《苏曼殊全集》。

苏曼殊才气横溢，精通英、法、日、梵诸文。法国雨果的《悲惨世界》就是由他首先翻译到中国来的。他能诗文，善绘画，作品多感伤、孤寂的情调。对于污浊的现实，他采取了回避的态度，遁迹佛门，以求超脱。其《为调筝人绘像》诗云："收拾禅心侍镜台，沾泥残絮有沉哀。湘弦洒遍胭脂泪，香火重生劫后灰。"评论界称其诗作"茜丽绵貌"、"超旷绝俗"。

苏曼殊生前酷爱西湖山水，曾多次来此游览、居住，并在画中绘下冷泉亭、西泠桥等景致，写过不少吟咏西湖的诗篇，还曾住在灵隐寺，著梵文典八卷，在我国佛学史上留下了影响。这位一生飘零的诗僧去世后，由南社社友柳亚子等人集资葬于西子湖畔。

苏小小墓

西泠桥畔，原有一座红柱翘角的慕才亭，亭中有苏小小墓。

苏小小，文学故事人物，传为六朝南齐钱塘著名才女、歌妓。传说有一日，苏小小乘车出游，在西湖边遇到一位骑马缓缓而来的英俊少年阮郁，两人一见倾心。她即兴为诗："妾乘油壁车，郎乘青骢马。何处结同心，西陵松柏下。"此即《乐府诗集》中的《苏小小歌》。后两人结为百年之好，如胶似漆，顷刻不离。但不久阮郁被父亲催逼回乡，一去不返。苏小小游戏于青楼红尘之间，看破人生，郁闷成疾，竟奄然而逝。临终嘱道："生于西泠，死于西泠，埋骨于西泠，庶不

负我苏小小山水之癖。"遂葬于西泠桥下。

明代学者袁宏道云:"西陵桥一名西泠。或曰即苏小小结同心处。"苏小小那首诗一直流传了下来,这一则爱情故事也已成为千古佳话。白居易诗云:"若解多情寻小小,绿杨深处是苏家。"张祜诗曰:"夜月人何待,春风鸟为吟。不知谁共穴,徒愿结同心。"

|保俶塔|

[雷峰如老衲 保俶如美人]

保俶塔,亦名"应天塔"、"宝石塔",在杭州西湖北岸宝石山巅。塔高45.3米,其轩昂的气宇与宽阔平静的湖面相得益彰,恰到好处地构成一幅恬静美丽的画面,因此被视为西湖的主要标志。保俶塔又和对面的雷峰塔南北对峙,形成雅致的西湖门户。其塔身纤细秀美,宛如亭亭玉立凝视湖山之美人,而雷峰塔则挺拔粗犷,老态龙

保俶塔

钟，故又素有"雷峰如老衲，保俶如美人"之说。

　　关于保俶塔的来历，主要有二说。一说是北宋赵匡胤统一中原后，召见吴越国王钱俶，母舅吴延爽为祝他平安归来，于开宝年间建造九级舍利塔，故称"保俶塔"。乾隆五十四年（1789）曾在塔下发现吴延爽造塔记残碑。另一说是，咸平年间僧人永保重修宝塔且有戒行，人称其为师叔，故又名"保叔塔"。其实，该塔在钱俶之前即已建成。后崩毁，宋咸平元年（公元998年）修复。历经元、明、清三代六次重修。现存六面七级砖塔，为1933年重修。

第二编 杭州之旅

| 虎跑泉 |

[虎跑梦泉]

虎跑，在西湖西南隅的大慈山白鹤峰下，离城区约10里。这里，松枫参差，泉声悦耳，富有山野风味。最吸引人的，是虎跑泉水及济公、弘一法师的遗迹。

梦泉远自南岳来

史籍载，唐以前，这里并无泉水。相传在唐代元和年间，一位叫性空的和尚云游至此，深喜此处清幽的环境，便欲栖禅于此。但这里没有溪泉，难以生活。忽梦神人传授，将有二虎移南岳衡山的童子泉至此。第二天，果见有二虎"跑地作穴"，泉水涌出。遂把此泉命名为"虎跑"。

虎跑泉水色晶莹，味甘冽而醇厚，历来被誉为西湖诸泉之首。苏东坡说："亭亭石塔东峰上，此老初来百神仰。泉移泉眼趋行脚，龙作浪花供抚掌。至今游人盥洗罢，卧听空阶环佩响。信知此来如此泉，莫作人间去来想。"

虎跑泉向称"天下第三泉"。传说唐代茶圣陆羽在品尽天下甘泉名茶之后，将其依次排为：镇江金山寺的中冷泉，无锡惠山泉，杭

州虎跑泉，苏州虎丘的方井，扬州平山堂的一口泉，江西庐山的招隐泉。清时，传说乾隆皇帝也曾品评全国名泉，结果，北京的玉泉为第一，镇江金山寺的中冷泉为第二，杭州的虎跑和无锡的惠泉并列第三。"龙井茶叶虎跑水"，向来被人们誉为西湖"双绝"。

济公塔院

虎跑寺，因虎跑泉著称于世。一千多年来，曾有不少名僧在此修行。其中最为人熟知的应数南宋时的济颠。济祖塔院即是为纪念济颠而建的。

济颠俗姓李，原名道济。他举止如痴如狂，不守佛门清规，但却于疯癫中含佛理，常做出扶危济困的事情。

传说，净慈寺遭火灾后，急需可用作栋梁的粗大木材。济颠承揽了去四川化木材的差使，却只在寺中酣睡。睡了三天才爬起叫道：

虎跑寺济公塑像

梦醒了，
虽一刻也难留；
看破了，
纵百年亦有限。
——济公自颂

第二编 杭州之旅

"大木来了，快吩咐匠人搭起鹰架来扯！"众僧都以为他说梦话。济颠对长老说："许多大木若从钱塘江盘来，须费多少人工？弟子因见大殿前的醒心井与海相通，故将众木都运到井底下来了。"及到了井边一看，井水中果露出一二尺长的一段木头。长老因问："这大木有多少株数？"济颠道："若不够用，只管取，只管有；若是够用了，就罢了，也不可浪费。"扯到六七十株，匠人道："够用了。"井中便没再冒起来，最后一根刚出水，也便留在了井中。

一日，临安府尹带了许多差役，要来砍伐净慈寺外两旁的松树。济颠出迎。府尹说："闻你善作诗词，讥诮骂人，我今来伐你的寺前松树，你敢作诗讥诮骂我么？"济颠道："世之人有可讥可诮，方敢讥诮之；人有可骂，方敢骂之。有如相公，乃堂堂宰官，又是一郡福星，无论百姓受惠，虽草木亦是沾恩。相公此来伐树，小僧虽有一诗，亦不过为草木乞其生耳。"因呈上一诗："庭松百尺接天高，久与山僧作故交。只认枝柯千载茂，谁知刀斧一齐抛。窗前不见龙蛇影，屋畔无闻风雨号。最苦早间飞去鹤，晚回不见旧时巢！"府尹将诗连看数遍，不忍释手。遂命伐树人散去，然后复与济颠作礼。

济颠活到六十多岁，忽尔厌世，信口作颂道："健，健，健，何足羡！止不过要在人间扯门面。吾闻水要流干，土要崩陷。岂有血肉之躯，支撑六十年而不变？棱棱的瘦骨几根，瘪瘪的精皮一片。既不能坐高堂，享美燕，使他安闲；何苦忍饥寒，奔道路，将他作践？况真不真，假不假，世法难看；且酸的酸，咸的咸，人情已厌。梦醒了，虽一刻也难留；看破了，纵百年亦有限。倒不如瞒着人，悄悄去静里自寻欢……"颂毕，即时坐化，葬于虎跑塔中。

弘一法师塔

虎跑后山有一六角形石塔，即弘一法师纪念塔。

弘一法师，初名岸，字息霜，号叔同，浙江平湖人。生于1880年，出身于巨商富室，年轻时是一个以"才子"闻名的翩翩公子，曾以"二十文章惊海内"自许。不久，赴日本留学。归国后先后在天津工业专门学校、浙江两级师范学校以及南京高等师范学校担任绘画、音乐教师。

李叔同创作了不少歌词，有的自己谱曲，有的由其学生刘质平、丰子恺等作曲。其《送别歌》的歌词是："长亭外，古道边，芳草碧连天。晚风拂柳笛声残，夕阳山外山。天之涯，地之角，知交半零落。一瓢浊酒尽余欢，今宵别梦寒。"此歌风靡一时，不胫而走。留日期间，李叔同与欧阳予倩等人成立了中国最早的话剧团体"春柳剧社"，并先后在日本演出了《茶花女》、《黑奴吁天录》、《热血》等剧。辛亥革命后，又在国内公演了《社会钟》、《家庭恩怨记》等剧，对我国话剧运动的发展产生了深远的影响。他对社会很有责任感，曾写过这样激动人心的诗句："度群生哪惜心肝剖？是祖国，忍孤负！"

1918年，李叔同在虎跑寺皈依佛门。他初习净土宗，后精研律宗，著有《四分律比丘相表记》、《清凉歌集》、《华严集联三百首》、《格言选略》等，被佛门尊称为"重兴南山律宗第十一代祖师"。

1942年冬，李叔同圆寂于泉州开元寺。他在给夏丐尊的遗书中，赋了二偈:"君子之交,其淡如水。执象而求,咫尺千里。问余何适,廓尔忘言。华枝春满,天心月圆。"

几年后,丰子恺、叶圣陶、章雪村等合力出资,将李叔同的部分骨灰葬于虎跑寺后,并立塔纪念。

|灵隐寺|

["胜景数西湖第一"]

灵隐寺,又名云林禅寺,位于西湖之西,是江南一所著名的古寺,我国佛教十刹之一。该寺从东晋咸和元年(326)创始至今,已有一千六百多年历史。苏轼咏灵隐"高尝会食罗千夫,撞钟击鼓喧朝哺",足见其盛。史料载,灵隐最繁盛时,有九楼十八阁,七十二殿堂,三千余僧众。

猿随峰来

宝坊阅千载常新,桂阁喜重开,依旧前台花发,清夜钟闻,东涧流水,南山云起;

胜景数西湖第一,林泉称极美,试看驼岩风高,鹫峰石峙,龙泓月印,猿洞苔斑。

灵隐寺大雄宝殿中的这副对联,是灵隐寺历史的写照。

《灵隐寺志》载:东晋咸和元年(326),天竺高僧慧理云游到此,他惊愕于此地山峦,竟与释迦牟尼修行的灵鹫山如此相似,认定"此天竺灵鹫山小岭,不知何年飞来?佛在世日,多为仙灵所隐",遂在此建寺,取名"灵隐"。

传说建寺之初,当地百姓说此山是他们世代砍柴之地,外地人不得在此随便建寺。而慧理则坚持此山是从天竺飞来,主权应归他。钱塘县官说,口说无凭,要有实证。于是慧理说:此峰在天竺时,我曾在洞中养黑白二猿,已随峰至此。说完在洞口一呼,果然从洞内

灵隐寺大雄宝殿
释迦牟尼像

跑出两只猿。众人才同意他在此建寺。此洞便称"呼猿洞"。

畜猿是历代灵隐禅师的特殊爱好。《灵隐小志》载，南朝刘宋时期（420—479），灵隐寺中有位智一法师，养一白猿。白猿常去山中觅食，法师长啸一声，白猿立即飞速而归。后人把这位法师称为"猿父"。"时有猿猱扰钟磬"，唐李绅在《灵隐寺》诗中写下自己的发现。清陆次云亦有记载："顺治己丑（1649），秋夜，一僧于月下见一白猿立于峰顶，皎如积雪，映雪逾洁。辛卯冬青莲阁下一黑猿戴笠而趋，众皆见而呼之，猿却顾微吟，越溪而去。"

"猿啼一声松子落，无数白云生翠屏"，"冷泉猿啸"曾是钱塘八景之一。据说曾有一只金毛猿猴，平日与长老同起同住，同行同坐，寸步不离。长老清闲时，常坐飞来峰下与它对弈。一日，杭州知府游湖，见其对弈，也上去和猿猴较量，不料连败两局。知府恼羞成怒，命差役追捕此猴。猿猴从此躲进了石洞，只有长老才能把它呼出。

僧俗答问

宋室南渡后，灵隐受到皇室的青睐。乾道八年（1172）正月，宋孝宗游灵隐寺时，赐方丈慧远为"瞎堂禅师"。

有一次，瞎堂陪孝宗游飞来峰，孝宗问："既是飞来，何不飞去？"瞎堂答："一动不如一静。"游至天竺寺时，孝宗见观音菩萨手持念珠，问："人持念珠念观音，求她保佑；观音亦持念珠又念谁？"瞎堂对道："仍念观音。"孝宗又问其原因，瞎堂风趣地答曰："求人不如求己。"

另一次，孝宗问：释迦牟尼入山六年，修行成佛，有何秘诀？德光答：陛下忘却自己是皇帝。孝宗对此话大为赞赏，便赐《颂偈》御诗两首。其一云："大暑流金石，寒风结冻云，梅花香度远，自有一枝春。"

云林禅寺

元明二百余年中，灵隐寺进入不景气时期。清时，又兴盛起来。康熙、乾隆多次临幸，康熙所题的"云林禅寺"匾额，三百年来一直高悬在古寺正门之上。

《云林寺志》载，康熙帝"亲洒宸翰，书'云林'二字，赐名'云林寺'"。乾隆四十五年（1780），乾隆游灵隐寺题《驻跸诗》："灵隐易云林，套章岁月深；名从工部借，诗意考功吟。"据此，则"云林"二字是借杜甫《题柏山大兄弟山居屋壁》诗中"江汉终吾老，云林得尔曹"之典。

《庄谐选录》则载，有一次，康熙到灵隐，寺僧求他亲题一块寺匾。康熙慨然答允，不料御笔一挥，把"靈"字上部的"雨"写得太大了，再写下半截已不相称。一位学士急中生智，在手掌上写了"雲林"二字，佯作磨墨状，把手掌朝向康熙。康熙会意，遂写下"雲林"。从此灵隐寺又称云林寺。

骆宾王落发

民间流传初唐四杰之一的骆宾王遁迹灵隐的故事。唐《本事诗·征异》中也载，骆宾王反武则天，兵败逃亡，落发灵隐，诗人宋之问曾与之在灵隐寺相逢——

宋考功（即宋之问）以事累贬黜。后放还，至江南，游灵隐寺。夜月极明，长廊吟行，且为诗曰："鹫岭郁岧峣，龙宫锁寂寥。"第二联搜奇覃思，终不如意。有老僧，点长眠灯，坐大禅床，问曰："少年夜久不寐，而吟讽甚苦何耶？"之问答曰："弟子业诗，偶欲题此寺，而兴思不属。"僧曰："试吟上联。"即吟与之，再三吟讽。因曰："何不云'楼观沧海日，门听浙江潮'？"之问愕然，讶其道丽。又续终篇曰："桂子月中落，天香云外飘，扪萝登塔远，刳木取泉遥。霜薄花更发，冰轻叶未凋。凤龄尚遐思，搜对涤烦嚣。待入天山路，看余度石桥。"僧所赠句，乃为一篇之警策。迟明，更访之，则不复见矣。寺僧有知者曰："此骆宾王也。"

晁公武《郡斋读书志》、宋尤袤《唐诗纪事》、元辛文房《唐才子传》及胡应麟、吴之骥、陈熙晋等人写的骆宾王传记中，也都说骆宾王兵败后落发灵隐。胡应麟且称骆宾王"晚号灵隐山人"。

飞来峰刻石

　　飞来峰，又名灵鹫峰。这是一座石灰岩侵蚀残留下来的孤峰。山高209米，怪石嶙峋，林木苍郁。飞来峰的得名，源于印度僧人慧理的一句感叹："此天竺灵鹫山小岭，不知何年飞来？"但民间的传说则认为此峰原在四川峨嵋山上，后踪迹不定，到处漂移，最后落在了此地。

　　据说灵隐寺的济颠法师卜知飞来峰将落在附近的一个村庄上，就奔进村庄，劝村民们搬家，但没人相信。眼看时辰要到，济颠法师不得已，背起村里正在拜天地的一位新娘，往外飞跑。此举引起村民公愤，全村男女老幼都追了出来。一直追出十几里地，就听见后面一声巨响，一块飞来的山峰压在了村庄之上。村民们幸免于难。济颠又率众凿五百尊石罗汉镇之。从此，飞来峰便不再飞走。

　　在飞来峰的巉岩峭壁上，有五代至元代的大小石窟造像三百八十余尊。其中笑容满目、袒腹踞坐的弥勒佛最大，也最生动，是宋代造像的代表作。元代造像数目最多，保存完整。南端青林洞右侧崖岩上的三尊佛像，是五代广顺元年（951）的作品，可算是这里年

灵隐寺飞来峰弥勒石刻

代最久的石刻造像。

飞来峰南端有一石灰岩溶洞，因洞上植有许多桂树，冬夏常青，故名青林洞。洞内有一块平坦似床的石头，民间传说济颠常在此卧息，故称"济公床"。

玉乳洞因洞顶滴下乳白色的岩水而得名。相传过去为蝙蝠栖身之地，故又称蝙蝠洞。洞前十余步有一岩石，称"翻经石"，传说南朝诗人谢灵运曾在此翻译佛经《涅槃经》。又传三国时道士葛孝先以此洞为室，得道成仙；晋朝葛洪也曾在此洞修炼。宋诗人郭祥正因此写下了"二葛既成仙，犹存炼丹处"的诗句。

"洞口无凡木，阴森夏亦寒；曾知一泓水，会有老龙蟠。"这也是郭祥正的诗句，龙泓洞因此得名。洞口的两组浮雕，其一表现白马驮经的典故；其二是唐三藏玄奘法师取经的故事。洞左的石壁上，有贾似道作摩崖题记。

翠微亭怀岳

飞来峰的山腰，有座古木掩映的亭子——翠微亭。亭侧石壁有一摩崖，上书："绍兴十二年，清凉居士韩世忠因过灵隐，登览形胜，得旧基建新亭，榜名"翠微"，以为游息之所，待好事者。三月五日，男彦直书。"

韩世忠和岳飞同是南宋主战派的代表人物。在抗击金兵、收复失地的战争中，韩与夫人梁红玉屡立战功。岳飞被陷害后，韩世忠当面质问秦桧："岳飞到底犯了什么罪，有证据吗？"秦桧支支吾吾："岳飞给张宪的谋反信，其事体'莫须有'"。韩世忠愤愤不平："'莫须有'三字，何以服天下的人心？"后愤然辞去枢密使职，又上书乞归老于西湖。从此，自号"清凉居士"，常头戴青巾，骑驴携酒，纵游西湖，绝不谈兵，也不会客。

一日，韩世忠登飞来峰，因"飞来"二字忆及岳飞，便在半山腰建此亭。《一统志》载："岳曾有登池州翠微亭诗，故作此亭，以怀岳也。"岳飞《登池州翠微亭》诗云："经年尘土满征衣，特特寻芳上翠微。好山好水看不足，马蹄催趁月明归。"韩世忠因此把此亭命名为翠微亭。

143

冷泉不冷

飞来峰与灵隐寺之间有一山溪,溪水"粹冷柔滑",可涤"眼耳之尘,心舌之垢",因此称冷泉。唐代最先发现冷泉,并为之建造了一亭,名冷泉亭。白居易《冷泉亭记》载:"东南山水,余杭郡为最;就郡言,灵隐寺为尤;由寺观,冷泉亭为甲。""亭在山下水中央,寺西南隅,高不倍寻,广不累丈。""山树为幄,岩石为屏,云从栋生,水与阶平,坐而玩之者,可濯足于床下,卧而狎之者,可垂钓于枕上。"

冷泉亭原在冷泉池中,后毁于山洪。明万历年间在岸上重建。亭内原有一匾额,"冷泉"二字为白居易手书,"亭"字为苏轼续写。此匾现已不存。另尚有对联:"雷不惊人,在壑原非真霹雳;泉能择物,出山更有热心肠。"

关于飞来峰和冷泉,曾有一场妙趣横生的笔墨论争。先因明代书画家董其昌的一联引起:"泉自几时冷起?峰从何处飞来?"此后,应答者不绝,仁者见仁,智者见智:"泉水澹无心,冷暖惟主人翁自觉;峰峦青未了,去来非佛弟子能言。"(金安清)"泉在山中,自是清流甘冷落;峰高世外,孰从飞去悟来因?"(升泰)"在山本清,泉自源头冷起;入世皆幻,峰从天外飞来。"(左宗棠)……

应答中,还有一个有趣的插曲。《春在堂随笔》载,一天,晚清著名学者俞樾携夫人游灵隐,在冷泉亭小憩,见到亭上的对联,顿发兴致。俞樾先作"泉自有时冷起,峰从无处飞来"。其妻则道:"不如竟作'泉自冷时冷起;峰从飞处飞来'。"于是相与大笑。数日后,其女返家,谈起冷泉亭觅联之事,女沉思良久,也笑道:"泉自禹时冷起;峰从项处飞来。"俞樾惊问"项"字出处,答:"不是项羽将此山拔起,安得飞来?"其时,正在啜茗的俞樾不觉大笑,"不禁襟袖之淋漓也"。

诚如明人林丹山诗歌所云,冷泉之水流入人心,即成热流,不然何以激起如此热烈的兴会?"一泓清可沁诗脾,冷暖年来只自知。流出西湖载歌舞,回头不似在山时。"

|钱塘江|

[怒潮壮观天下无]

钱塘潮，又被人们称为"怒潮"。由于天体引力和钱塘江特殊的河口地势，形成了这一潮汐景致。南宋词人周密说："浙江之潮，天下之伟观也"，"方其远出海门，仅如银线；既而渐近，则玉城雪岭际天而来，大声如雷霆，震撼激射，吞天沃日，势极雄豪"。

八月十八潮

"八月十八潮，壮观天下无。"相传八月十八是潮神生日。这天潮头最高，水势凶猛无比，潮神骑着白马，在潮头上来回奔驰。唐诗人刘禹锡诗曰："八月涛声吼地来，头高数丈触山回，须臾却入海门去，卷起沙堆似雪堆。"

周密《武林旧事》中记载，南宋时把八月十八日定为检阅水师之日："吴儿善泅者数百，皆披发文身，手持十幅大彩旗，争先鼓勇，溯迎而上，出没于鲸波万仞中，腾身百变，而旗尾不沾湿，以此夸能。"

《钱塘观潮记》的作者吴儆亦云："八月既望，观者特盛。弄潮之人，率常先一月，立帜通衢，书其名氏以自表。市井之人相与裒金帛张饮，其至观潮日会江上，视登潮之高下者，次第给与之。潮至海门，与山争势，其声震地。弄潮之人，解衣露体，各执其物，搴旗张盖，吹笛鸣钲，若无所挟持，徒手而附者，以次成列。潮益近，声益震，前驱如山，绝江而上，观者震掉不自禁。弄潮之人，方且贾勇争进。有一跃而登，出乎众人之上者；有随波逐流，与之上下者。潮退策勋。"

宋朝以后，人们以海宁县盐官镇东南的一段海塘为观潮胜地。此处江面阔9里，潮势至此，齐列一线，于是，又有"海宁宝塔一线潮"之称。

此外，民间还有涨、退二潮神的传说。有一年，钱塘潮在海宁盐官镇外面改换了方向，直扑绍兴龙山而去。这是为什么呢？春秋时代，吴越争雄，吴国大臣伍子胥因屡次进谏，被吴王夫差赐死，其

钱塘江大潮

长忆观潮，满郭人争江
上望。来疑沧海尽成空，
万面鼓声中。弄潮儿向
涛头立，手把红旗旗不
湿。别来几向梦中看，梦
觉尚心寒。
——[宋]潘阆《酒泉子》

尸首被扔进江里。谁知潮水顿时白浪翻滚，有如万马奔腾。从此，人们便称伍子胥为"涨潮神"。

越王勾践灭吴雪耻后，以"久蓄异心"的借口，把功臣文种也杀了，把他葬在绍兴的龙山上。

伍子胥活着时，最恨文种，认为吴亡越兴，都是文种的计谋。文种一死，伍子胥便借八月十八的大潮，卷走了龙山上文种的尸骨。于是两人站在潮头上，展开了激烈争辩。最后，伍子胥明白了"自古忠魂都含冤"，两人遂讲和。文种便开始主司退潮，人们称他为"退潮神"。

六和古塔镇海潮

六和古塔，又名六合塔，耸立在钱塘江畔的月轮山上。背负连绵青山，面对浩瀚钱江，巍峨挺拔，是西湖景观中不可缺少的组成部分。

关于六和塔的来历，民间流传着许多美丽的传说。一说，古时钱塘中住一龙王，性情暴躁，喜怒无常，常使潮水泛滥，两岸人民

杭州六和塔

深受其苦。后来，一位名叫六和的小伙子，率众搬石填江，制服了龙王。从此，人们过上了安居乐业的生活。后人便在六和当年填江的地方，建起了这座以其名字命名的塔。又说，春秋时，群雄纷争。当时，秦国势力最强。纵横家苏秦游说于燕赵韩魏齐楚诸国间，使这六国和好结盟。据说月轮山便是六国当年结盟之地。后人特建塔，以纪念六国联合之事，故称塔为"六和塔"。

史籍记载，六和塔始建于北宋开宝三年（970），吴越王钱俶为镇江潮而建。六和，指"戒和同修，见和同解，身和同住，利和同均，口和无争，意和同悦"。而六合，则取佛家天、地、东、西、南、北六合之意。

六和塔初建时有九级。宋徽宗宣和年间，塔身毁于兵燹。南宋绍

148

兴二十三年（1153）重建，前后花了十一年时间方竣工。现存的七层砖结构塔身，就是南宋重修的建筑。外廊木檐则是清光绪年间加工改建的。

据传，参加六和塔设计的有北宋建筑名匠喻皓。喻皓著有《木经》，是中国古代著名的建筑著作。六和塔就是按照《木经》的建筑方式而建。它多层密檐，全为砖木结构。塔平面为角形，塔高近六十米，内层塔身为七级，外层木檐为十三级。每层檐角都挂有铁马（铃），每遇微风，玎琮作响。清乾隆十六年（1751），乾隆皇帝来此登塔时，每层都题了匾额，各为"初地坚固"、"二谛俱融"、"三明净域"、"四天宝网"、"五云覆盖"、"六鳌负载"、"七宝庄严"。

旧时六和塔内，曾绘有鲁智深和武松的画像。据《水浒传》载，鲁智深随宋江军南征，驻六和寺，在此"听潮而圆"。武松也在此出家，年至八十善终。据说有人曾在江浒挖得一碑，上刻"武松之墓"。

六和塔是纵目钱塘江水的好地方。古代文人学士在此登高赋诗，留下了不少名篇。元朝诗人白廷玉诗云："烂烂沧海开，落落云气悬。群峰可俯拾，背阅黄鹤骞。"

清代林则徐巡视钱塘江防务时，也曾作《六和塔》：

浮屠矗立俯江流，暮色苍茫四望收。落日背人沉野树，晚潮催月上沙洲。千家灯火城南寺，数点帆归海外舟。莫讶山僧苦留客，有情江水也回头。

|良渚文化遗址|

[中国文明曙光升起的地方]

杭嘉湖平原还闪耀着一颗新石器时代考古皇冠上的明珠——良渚文化。

良渚文化发现于浙江余杭良渚镇，渊源于距今7000年的马家浜文化，承袭了崧泽文化，主要分布在长江下游的太湖流域，包括江苏南部、上海和浙江北部的广大地区，距今大约4200至5300年。

149

良渚镇历史上就以出土古玉而闻名于世。民间传说清朝末年这一带人曾掘出几担玉器。民国初年，日本和欧美一些国家都有人购买过良渚玉器。20世纪30年代初，良渚镇及附近安溪、长命桥、窑等地的村民们还挖到过璧、琮、钺等大批玉器。

从1936年施昕更第一次对良渚遗址发掘至今，考古工作者已经对100多处良渚遗址进行了发掘，尤其是90年代在良渚镇西约5千米处的莫角山，发现了总面积达30余万平方米的大型礼仪建筑群遗址，推测这可能是一个中心城址，是良渚文化王国政治、经济、宗教、文化的中心。

在良渚文化时期，农业已进入犁耕稻作时代；住房以干栏式为主；手工业有蚕丝和麻纺织，竹器编制，器物外表髹漆，琢玉尤为发达，大型玉礼器揭开了中国礼制社会的序幕；贵族墓葬和平民小墓的分野显示出社会分化的加剧。良渚文化器物上很多神秘刻画可能是中国文字的前奏。著名考古学家严文明说"中国文明的曙光从良渚升起"。

良渚文化进一步证明了长江流域在中国文明形成过程中的重要地位。长江流域在新石器时代曾经大放异彩，尤其是良渚文化的玉器，精美绝伦，神秘诡谲，令后人唏嘘不已。

玉　璧

良渚文化出土了很多玉璧，形状为圆形薄饼状，孔为对钻，璧体较大，出土数量也多，反山23号墓玉璧成堆堆放。玉璧有的集中放在墓主人腿脚部位，有的平铺在死者周围或尸体附近，制作上存在明显的粗劣和精致之分。有些玉璧因为长期受沁转成了鸡骨白色，可能跟玉本身的取材有关，不过出土后经常盘磨把玩，会渐转成赭红，其称色原理尚待研究。

良渚文化的玉璧几乎都是素面无纹，其中有一玉璧为蓝田山房所藏，形制尤其是图案相当特殊。该玉璧上刻有三重神坛神鸟图。分析此符号结构，气宇非凡的神鸟应该代表天帝，也就是太阳神，他繁衍了人间后代。符号下半部是一个祭坛，坛上所供奉的，为头戴"介"型冠帽、背载太阳、展翅飞翔的"阳鸟"，也正是氏族的

图腾神。

在长约87.9厘米，宽约1.3厘米的圆周上，等分的刻了三只飞鸟，每两只飞鸟之间油刻了四个云纹，共十二个云纹。按各符号在玉璧上的布局所作的示意图，可以看出古人的天文观：天上不仅一个太阳，鸟是背载太阳的使者。《山海经》记载："一日方至，一日方出，皆载于鸟。"玉璧的圆周上刻有三只飞鸟，头像一致，象征太阳的运行方向。

《周髀算经》中的七衡图是古人观察一年中太阳在天空的运行而绘的。古人认为一天中太阳在天穹中的运行是一个圆形。一年四季中太阳的升空高度不同，故得七个同心圆。中心圆为观者目力所及范围，其余同心圆为黄道，内外皆是天，所以观者在面对七衡图时，正是坐北朝南，左边是东方，右边是西方。这个可能也是玉璧造型的根源。

关于玉璧的用途，众说纷纭，莫衷一是。

有人认为它是祭祀天地的礼器，《周礼·春官》云："以苍璧礼天，以黄琮礼地。"这是史书上的说法。

151

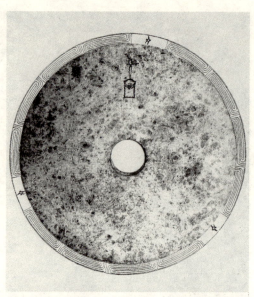

蓝田山房藏
良渚文化玉璧
及雕刻示意图

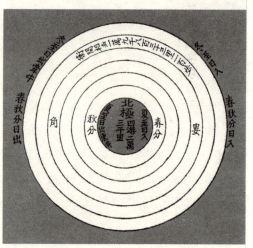

《周髀算经》
中的七衡图

山水中国
浙江卷

　　有人认为它是一种装饰品，因为它的制作精致，美观大方，适宜人们佩饰，这也有一定道理。

　　有人认为它是陪葬品，因为在许多古代墓葬里出土过大量玉璧，同时在《周礼·春官》里也有"驵圭、璋、璧、琮，琥璜之渠眉，疏璧琮以敛尸"的记载，充分说明古人以玉器敛尸的事实。

　　除此之处还有人认为璧还有一种特殊的用途，即作为一种信物，传达某一种特殊的信息。《荀子·大略》载："问士以璧，召人以瑗，绝人以，反绝以环。"说的是古时进行国事访问时，用璧表达相见之礼，在各国交往时，也往往用璧作为瑞信，既表示祝贺吉祥，同时又是一种凭信。

也有人认为玉璧是当时的货币，用于最初级的商品交换。

玉　琮

良渚玉琮系软玉雕琢而成，从外观看呈外方内圆、上大下小形。其表面细密的阴纹线刻技艺几乎达到了后世望尘莫及的地步。在既没有青铜、又没有钢铁的良渚时期，对硬度超过一般岩石和各种金属的玉料，是怎样进行加工，使之成为纹饰精美繁细的玉琮呢？这至今还困扰着研究良渚古玉的学者。有人推测是用鲨鱼的牙齿刻画的，该说法没有得到证实，看来这的确是未解之谜。

还有就是玉琮上刻画精密神人兽面纹，它是良渚文化中非常引人瞩目并且神秘的文化符号，关于它的解释有人认为是良渚社会的族徽，有人认为它代表太阳崇拜。有一点可以确定的是，它与祭祀和葬俗有密切关系。

不仅如此，良渚玉琮还以体大自居，更显它独特的魅力。方柱形玉琮四面中间立槽，槽两边基本等距，误差在1毫米左右，每节上下间距也几乎完全相等，而且玉琮兽面纹的构图也基本相同。每个面的转角上有半个兽面，与其相邻侧面转角上的半个兽面组成一

良渚玉琮

个完整的兽面，这样的组合使原本呆板的兽面更显生动且具变化。

关于良渚玉琮的用途，学术界也是众说纷纭。有"男性祖先说"、"地母女阴说"、"图腾柱说"、"礼地说"、"天文仪器说"、"手镯玉勒说"、"织机构件说"等等，但一般认为玉琮与宗教祭祀、财富权力有关。战国《周礼》书中曾有"苍璧礼天"、"黄琮礼地"之说法。东汉郑玄注"璧圆象天，琮八方象地"。良渚时期的玉琮是否与祭地有关尚在探讨中。

良渚玉琮作为良渚文化的典型器物，因其具有精美绝伦的纹饰和重要的历史价值，以及巨大的艺术魅力，自古就被嗜玉者所追捧。宋代的一些影青瓷就开始模仿良渚玉琮的造型。清代的乾隆皇帝嗜玉成瘾，他对良渚玉琮更是情有独钟，曾在良渚玉琮上写道："环宝汉京重，廉贞君子如。砚头沾墨雨，世外阅仙鱼。"而今良渚文化的玉器，自20世纪80年代开始便兴起了久盛不衰、逐浪高涨的研究和收购热潮，良渚玉琮更是成了藏玉者梦寐以求的宠儿。

|陈阁老故宅|

[安澜园中难言之情]

海宁县盐官镇堰瓦坎，有清代宰相陈元龙的故宅。陈元龙，人称"陈阁老"。其祖宅"隅园"本是著名学者王国维先祖宋代王沆所建之王氏园。该园在宋时号称"浙西园林之冠"。宋葛胜仲游王氏园后有《临江仙》云："倦客身同舟不系，轻帆来访儒仙。春风元已艳阳天。夭桃方散绵，高柳欲飞绵。千古海昌（即海宁）佳绝地，双凫暂此留连。通宵娱客破芳尊。兰亭修禊事，梓泽醉名园。"至明，为明太常陈与郊所有，名"隅园"。入清，为陈元龙父子所据，经改建后易名"遂初园"。后乾隆皇帝赐名"安澜园"。园中树木大半皆南宋所遗。清陈瑨卿《安澜园记》盛赞园中景物："庭广数亩，宽平如坻，栏俯清流，縠纹渺远，望隔湖山色，在烟光杳霭之中。夏日荷翠翻风，花红绚日，虽西湖三十里，无以过之。"

民间盛传乾隆皇帝出自陈氏家门。据说雍正继位之前，与陈阁老交善。恰巧两人同日各得了孩子。雍正命陈家抱新生儿进宫去看，不料抱回时，已经易男为女。

乾隆即位后，六次南巡，四次到海宁，都驻跸陈氏家中，并赐名陈氏祖宅为"安澜园"。袁枚诗曰："百亩池塘十亩花，擎天老树绿槎枒。调羹梅也如松古，想见三朝宰相家。"乾隆也为此作御诗二十四首。其中有"盐官谁最名，陈氏世传清。讵以簪缨赫，惟敦孝友情。春朝寻胜春，圣藻赐褒明，来日炎山诣，祈厌尽我诚"的诗句。陈元龙死时，乾隆的赐祭葬文宣读之后，立时焚化，而没有依照惯例镌刻墓碣。人们因此推测，或许祭文中有难言之隐衷。

|王国维故居|

[千古艰难惟一死]

王国维故居在浙江海宁县盐官镇固家兜。前为平房，后为二层小楼。据王氏《日记》手稿，他当年就住在这座楼上。《人间词》中"夜起倚危楼"云云，或当指此。其《人间词话》治学"三境"说中所引晏殊《蝶恋花》句，或也得灵感于此："'昨夜西风凋碧树。独上高楼，望尽天涯路'，此第一境也……"

王国维（1877—1927），字静安，亦字伯隅，初号礼堂，晚号观

王国维故居

第二编 杭州之旅

堂，又号永观。

王国维祖上曾是海宁的望族。其远祖王禀，河南开封人，宋靖康时任河东马步军副总管，金兵围太原时，他率众死守太原二百五十日，粮尽弹绝，城陷，"率羸兵与金人巷战，身被数十创，遂入原庙中，负太宗御容，与子阁门祗侯荀，赴汾水死"。宋高宗赵构南渡，追封王禀为安化郡王，赐谥"忠壮"。为纪念和旌表王禀，当时海宁城内一条街命名为"安化坊街"，并立"安化王祠"，在20世纪20年代时仍巍然存在。这份"家门之光"，使少年王国维缅怀不已，后曾作《补家谱忠壮公传》，以纪念这位"耿光百世"的先祖。

王禀后世"有功于民"的文武功臣尚不在少数。不过，到王国维诞生之时，家境早已破落。但先祖的血液仍然流淌在他的血管中，同时海宁美丽的自然风光和"一楼灯火夜雠书"的浩荡文风，也给他以深刻的熏陶。在西方文明"滔滔而入中国"的晚清末期，他抱着"发扬光大"祖国文化学术的热忱，奋力钻研和引进西方哲学美学，回观中国传统文化，在前期的哲学、美学、词学、戏曲史和后期的古文字、古音韵、古器物、经史考据等方面都取得了同辈人难以企及的成就，成为近代著名国学大师。他是20世纪新显学甲骨学和敦煌学的奠基人之一，所著《流沙坠简序》、《殷墟书契考释序》、《殷卜辞中所见先公王考》、《殷周制度论》等均被称为划时代之作。郭沫若称其"发前人所未能发，言腐儒所不敢言"，为"新史学的开山"。有《人间词》、《人间词话》、《心理学概论》、《宋元戏曲史》、《静安文集》、《观堂集林》（二十卷）等传世。

1927年，年仅五十七岁而学术成就如日中天的王国维忽然在北京颐和园自沉。对其中的原因，众所纷纭，代表性的有史达、溥仪等的"罗振玉逼债"说；罗振玉、赵万里等的"殉情"说；梁启超、徐中舒等的"冯玉祥'北伐'军威胁"说，陈寅恪等的"超越时间地域之理性"说；叶嘉莹等的"殉身于他理想中所欲持守的最后一点清白"说等。今日观之，很难说哪一说切中肯綮，或许是众说皆"持之有故"。"千古艰难惟一死"，一位大学者毅然自沉，终究是深刻的诸多因素的合力，终究是中国历史的一个创痛。

王国维故居1985年进行整修，1987年6月国际王国维学术会议召开之际举行揭幕、剪彩仪式，其子王登民、王慈民等参加了仪式。1989年被列为省级文物保护单位。现已作为王国维事迹陈列室对外开放。故居内外匾额分别由顾廷龙、朱穆之题写。门厅中央置有王国维半身铜像，大厅内陈列王氏一生十二幅画像及其他资料。门厅后寝楼中设王氏学术成就及后人研究成果展览。

｜南　湖｜

［烟雨楼台］

南湖，位于嘉兴市南面。古称澉湖、马场湖，三国时称陆渭池。因有东西两湖，状似鸳鸯交颈，湖内又多鸳鸯，故又称鸳鸯湖。

南湖原是大海的一部分，由于泥沙淤积，与大海隔开，海水逐渐淡化而成了泻湖。湖中有两个岛屿，一称湖心岛，上有南湖革命

嘉兴烟雨楼

纪念馆及烟雨楼等名胜古迹；另一岛上建有仑圣祠。

烟雨楼始建于五代（940年前后）。据名胜志载，吴节度使广陵郡王钱元璙在湖滨筑楼作登眺之所，取唐代诗人杜牧《江南春》诗中"南朝四百八十寺，多少楼台烟雨中"的"烟雨"二字作楼名。此后屡经兴废。明嘉靖二十七年（1548），嘉兴知府赵瀛征民夫修浚城河时，运土于南湖之中，堆积成岛。第二年，仿烟雨楼旧制，在岛上建楼。万历十年（1582），知府龚勉又在附近增筑亭榭。从此，人们又称湖心岛为"小瀛洲"。

一千多年来，烟雨楼游客接踵，至今仍保留有历代碑石五十多块。其中有宋代书法家米芾的诗碑："龙楼光曙景，鲁馆启朝扉。艳日浓妆影，低星降婺晖。玉庭浮瑞色，银榜添祥徽。云转花萦盖，霞飘叶缀旗。"清代朱彝尊酷爱南湖风光，曾写鸳鸯湖棹歌百首，亦广为传诵。

"居然海上神仙，蓬莱方丈；若问壶中日月，鸳鸯万年"，烟雨楼的景色如此艳丽，以至乾隆皇帝六次驻跸于此之后，又在承德避暑山庄中仿建了一座"烟雨楼"。

到了20世纪，烟雨楼染上了新的时代色彩。1921年7月，中国共产党第一次全国代表大会由上海转移到南湖继续举行。在一条游艇上，诞生了中共第一个党章，选出了中央领导机构。今湖心岛东南岸停有一只中型游船，即为当年那只游艇的仿制品。

|曝书亭|

[朱彝尊袒腹晒书]

曝书亭在嘉兴市王店镇。清康熙三十五年（1696）著名学者朱彝尊建。

朱彝尊（1629—1709），字锡鬯，号竹垞，浙江嘉兴人。"少而聪慧绝人"，"书过眼复诵，不遗一字"。少年时肆力于古文，博览群书。家境贫寒，常常断炊，但他依然安坐书房读书。五十岁时，以布衣身份参加博学鸿词科考试，入选，任翰林院检讨，参与修撰《明史》。通经史，能诗词古文，创浙西词派。与王渔洋同为文坛领袖，并称为"南朱北王"。著有《经义考》、《月下旧闻》、《曝书亭集》、《明诗综》、《词综》等。

朱彝尊的藏书总计八万余卷，多为手钞书，此事为当时读书界传为美谈。他曾因偷钞史馆藏书被人告发而遭贬。但他并无悔意，作书楗铭曰："夺侬七品官，写我万卷书，或默或语，孰智孰愚。"时人誉之，称为"美贬"。朱彝尊奉命典试江左之日，为一睹绛云楼脉望馆的手钞秘书，专设一酒宴款待江左名士。当脉望馆主人钱曾赴宴之际，朱以黄金、青鼠裘为礼，

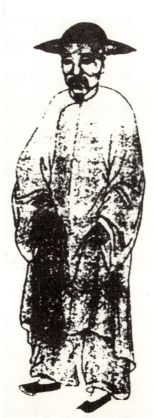
朱彝尊画像

厚赠钱之佣人，使启书箧一观。并招藩署书吏数十人于密室，连夜钞录。爱书之情如此，时人对此举亦不以为过，称之为"雅赚"。

朱彝尊六十四岁时，引疾乞归，定居故里，专意著述。曝书亭即归里后第四年所建。关于此藏书楼名字的来源，也有一段趣话。

古时，夏秋晴朗日子，人们常要曝晒书籍，以消毒杀菌。清时，有"晒经法会"，便是曝晒经典的活动。也有以晒书来炫示自己学识的。《世说新语》载，有个叫郝隆的人，见富贵人家翻晒衣锦，便仰卧于地晒太阳。人问其故，答曰："吾晒腹中书耳。"相传，朱彝尊也曾有"袒腹晒书"之举。康熙微服南巡，路经王店镇，见一老者袒腹露肚在荷花池边晒太阳，便动问原委，此人叹道："没法子，我一肚皮书派不上用场，快发霉了，晒晒太阳，免得霉烂。"康熙回京后即召其进京面试，果然满腹经纶，遂当场封作翰林院检讨。此人即朱彝尊。

嘉庆以后，曝书亭多次重建。原有楹联："会须上番看成竹，何处老翁来赋诗"，为朱彝尊集杜甫诗句而成，汪楫所书。后佚。重建时由阮元重写，刻于石柱。

南浔

[巨富之镇　书香可掬]

南浔镇地处苏杭嘉湖的中心点，北临太湖，东接江苏，是浙江省历史文化名镇。

耕桑之富甲浙右

南浔，历史上就具有极高的知名度。春秋时属吴，越灭吴后属越。南浔地理条件十分优越，至南宋已是"水陆冲要之地"，"耕桑之富，甲于浙右"。南浔最初因浔溪河而名"浔溪"，后来由于浔溪之南商贾云集，屋宇林立，而名"南林"。至淳祐年间（1252）建镇，南林、浔溪两名各取首字，改称"南浔"。明万历至清中叶为南浔经济繁荣鼎盛时期，民间有"湖州一个城，不及南浔半个镇"之说。南

南浔沿河街廊

浔之所以一跃成为江浙雄镇，主要是因为蚕丝业的兴起和商品经济的发展。"附近遍地皆桑，家家养蚕，户户缫丝织绸"就是当时的真实写照。

至近代，南浔更是成为一个罕见的巨富之镇。在这个熙熙攘攘的古镇上，有着号称"四象"的江南四大首富。又有如《红楼梦》中宁国府、荣国府那样八家公爵似的，号称"八牯牛"的大富之户，以及拥有充满了民间嘲讽意味的，号称"七十二只金黄狗"的豪门、财主。由于南浔的经济实力和对民主革命的贡献，孙中山就职临时大总统的第二天，就正式宣布南浔镇升级为市。

经济的发达使坚持"耕读传家"理想的南浔，在文化上也取得很大的成就。明代就有"九里三阁老，十里两尚书"之谚。据族谱记载，宋明清三代，南浔出进士41名。

名园巨构冠江南

　　和浙江其他古镇不同的是，南浔少有老屋长廊、石桥深巷，而是名园众多，古迹丰富，文化气氛特别浓郁。据史籍载，南浔历史上最盛时期曾有大小园林二十余座，其中堪称"巨构"的就有五座。《江南园林志》云："以一镇之地，而拥有五园，且皆为巨构，实为江南所仅见。"现存著名的名胜古迹有小莲庄、嘉业堂藏书楼、张静江和张石铭故居，以及明代百间楼等。

　　嘉业藏书楼其实是一处江南小型园林，园子里莲池、假山、凉亭处处流露出江南园林的小巧与别致。其主体建筑是一座西式回廊式的藏书楼。这座藏书楼乃江南四大藏书楼之一，是清代的秀才刘承干在1920年到1924年修建的。其藏书最多时曾达到60万卷，计170万册，其中宋元精刻149部，《永乐大典》孤本42巨册，价值非常高。1949年解放江南时，周总理特别指示陈毅派部队保护藏书楼。解放后，刘承干将书楼及庭园全部捐给了浙江省图书馆。现在这里

南浔嘉业堂藏书楼

是浙江省图书馆古籍书库。

小莲庄毗邻藏书楼，是清光禄大夫刘镛的庄园。始建于清光绪十一年（1885），占地1.4万平方米。刘镛因仰慕元代大书画家赵孟頫的莲花庄而将其名之为"小莲庄"。园子的外园有10亩荷花池，池边有逶迤的中式长廊和尖顶的西式小姐绣楼。中西建筑在这里得到了完美的结合。小莲庄景致与其他的江南园林相仿，有扇亭、石牌坊、假山、竹林。比较有特色的是园子西边由数十棵古香樟树组成的古树长廊，以及刘氏家庙所体现的宗祠文化。

张静江、张石铭故居以中西合璧为特色。张静江祖籍安徽休宁，其曾祖张维岳于康熙末年定居南浔。张维岳以经营蚕丝业和盐业发家，成为南浔"四家"之一。清光绪中期在镇东建"张恒和"巨宅。张静江曾任驻法国使馆一级参赞，赴欧途中结识孙中山，并向孙中山提供革命经费白银三万两。张静江故居系其父张宝善于1898年所建。故居中堂之画为谢公展手指佳作。两侧有孙中山所题对联："满堂花醉三千客，一剑霜寒四十州"。抱柱联为："世上几百年旧家，无非积德；天下第一件好事，还是读书。"

张石铭为张静江的堂弟，其旧居体现了欧洲18世纪的建筑风格。

| 乌 镇 |

［古风尚存 故居犹在］

乌镇为江南水乡六大古镇之一，位于浙江桐乡市北部，西临湖州市，北界江苏省吴江县，东南与濮院、龙翔街道等毗连，东北接嘉兴市秀洲区。历史上曾是两省（浙江、江苏）三府（嘉兴、湖州、苏州）七县（桐乡、石门、秀水、乌程、归安、吴江、震泽）错壤之地。1991年，乌镇被评为省级历史文化名城，近年又被评为国家AAAA级景区。

古风古韵自扑面

乌镇历史悠久，从潭家湾古文化遗址的考证看，在7000年前的马家溪文化时代，乌镇已有人类活动。乌镇古时候称乌墩，春秋时此地为吴疆越界，吴曾戍兵于此防越，故又名"乌戍"。唐代咸通年间始建镇。在南宋嘉靖年间（1208—1224），以车溪（今市河）为界分为两镇，河西称为乌镇属湖州府，河东称青镇属秀州。直到解放后市河以西的乌镇从吴兴县划归桐乡县，才统称乌镇至今。

乌镇这一名称的来历，据说和古代乌镇居民常常在墙上涂抹类似于黑色的油漆有关。这种涂料涂了以后可以起到保护墙面的作用，而黑色在江南桐乡一带被称为"乌"，因此称"乌镇"。

乌镇不大，却是水陆交通要地。古镇内河道如织、石桥纵横、高墙深巷、水阁飞檐，到处呈现典型的水乡景致。乌镇依河道而建的廊棚极富水乡韵味，是古镇上典型的建筑。廊棚既可以为路人遮风蔽雨，又是小镇居民休闲聊天的交际场所。在乌镇游览，眼里满是水的影子。踏着百年前的石板路，人和周围的一切都好像在水雾织成的梦里。

164

乌镇街道上清代的民居建筑保存完好，梁、柱、门、窗上的木雕和石雕工艺精湛。当地的居民至今仍住在这些老房子里。走在河边，可以看见居民们在这些老屋里吃饭、打麻将，水乡的风情和民情还在沿河的老屋里延续，构成了一幅幅独特的江南风景画。

巨匠故居当驻足

乌镇文脉久远，历代人才辈出。据史志载，乌镇宋代有进士17人，举人21人；清代有进士37人，举人119人。乌镇历史上著名人物有编《昭明文选》的梁昭明太子及其老师大学者沈约、一代丞相裴休、《唐宋八大家文钞》的编者茅坤、理学家张杨园、清光绪帝的老师夏同善等。在现代，乌镇又产生了茅盾、沈泽民、严独鹤等著名人物。其中以茅盾影响最大，其故居已成为著名旅游景点，并被列为国家重点文物保护单位。

茅盾故居在乌镇观前街与新华路交接处。故居由茅盾曾祖沈焕于清光绪年间购置，自沈焕至茅盾，四代同堂居于此。1933年，茅盾亲自主持翻建，并在此后几年里数度在此读书、写作。抗战爆发后即离开故居远行。1983年起有关部门着手修复茅盾故居，1985年7月4日茅盾诞辰八十九周年之际隆重开放。修复后故居大门悬陈云亲题"茅盾故居"匾。大门内通道改作陈列室序厅，安放着茅盾半身铜像。前后楼上下各室器物均按当年格局布置。后园中的三间平

1947年茅盾在上海大陆新邨寓所写作

房，南向有走廊，墙壁上挂有叶圣陶题"茅盾故居"匾额。平房西边一间内室是书房，北窗下放着茅盾当年定做的大写字台。1935年秋，茅盾在这里完成了中篇小说《多角关系》。故居建立后曾设7间陈列室，陈列茅盾照片、珍藏品数百件，后移至立志书院展出。

故乡独特的人文传统不仅极大地影响了茅盾的成长，而且也滋养了他的创作。他的代表作《春蚕》、《林家铺子》等就直接得益于故乡的风土人情。养蚕是当地农民的主要产业，所以有祈蚕等很多独具特色的风俗，这些在《春蚕》中都有精彩描述。这些农村基本上还保持着一些旧时的风情和建筑格局。店面和房屋的样式还有一种"老通宝"时期的遗韵，入诗入画。《林家铺子》中的林老板的原型，据说是乌镇上的一个小商人。如今镇上仍有"林家铺子"，不过卖的不再是当年的小百货，而变成乌镇特色产品的集散地了。

现代文学巨匠茅盾《春蚕》、《林家铺子》及《子夜》等著作，在当时产生了巨大的影响，成为中国现代文学的扛鼎之作。如今巨匠已逝，但他的精神遗产是不朽的。而这里——茅盾故居、故里，就是这一切的起点。

| 西　塘 |

[廊棚古弄　郁郁古风]

西塘，古称胥塘、斜塘，又名平川，在浙江嘉善县境头，是江浙沪三省市交界处著名的水乡，被专家誉为江南六镇之一。

"九里湾头放棹行，绿柳红杏带啼莺"。西塘地势平坦，河流纵横，自然环境十分优美。

西塘历史也非常悠久。早在春秋战国时代，西塘就是吴越两国相争的交界地，故也有"吴根越角"之称。伍子胥佐吴修筑水利，留迹西塘。元代钱塘诗人钱惟善、元末明初著名诗人高启都曾到西塘寻幽探古。悠久的历史，创造了丰厚的文化。诗词金石、翰墨书香为古西塘缔造了浓郁的文化氛围。从明代万历年间至清末的427年间有名姓记载的就有进士19名，举人31名。民国时期，吴江诗人柳亚子曾多次来西塘，与镇上文士吟诗品酒、指点江山，西塘有十八位文人参加了柳亚子创办的南社。这又为西塘文人增添了新的光彩。

西塘古镇至明清时已颇具规模。古镇布局以水为中心：依水而建，因水成街，因水成园，因水成市，家家临水，户户枕河，舟楫悠悠，桃红柳绿，颇有一种"绿意红情，春风夜月；小桥流水，琴韵书声"的意境。

古镇众多的明清建筑群至今保存完好，其独特的风格令人倾倒。镇上老屋多为砖木结构，层楼叠榭，鳞次栉比，粉墙黛瓦，金门绣户，虽历经风雨，古风犹存。其中，比较有名的有西园、醉园、薛宅、王宅、圣堂、尊闻堂、倪无增祖居，以及护国随粮王庙等。

西塘镇古建筑中，最让人称羡的还是号称"西塘双绝"的廊棚和古弄。

因是临河建屋，所以几乎每户都有自家的码头。传说过去有一位老人看到船工们在太阳下工作很辛苦，就用木头和瓦搭起了廊棚，为船工们遮阳。以后古道热肠的西塘人家家都在门前搭起了廊棚，有些人家还在廊棚中建了亭子和椅子供人们休息。几百年来，这一习俗代代相传。廊棚的搭建不仅方便了船工的通行，而且为古镇增添了独特的风情。西塘古镇中最著名的风景线，就是一道1000多米、造型古朴的廊棚：一色的墨瓦盖顶，沿河而建，连为一体，绵延不

西塘水街

断。古河道旁边古色古香的民居，重重叠叠，河道中小船儿悠悠……漫步其中，谁能不生思古之幽情！

　　古弄，是西塘的又一绝景。据统计，一个不大的西塘镇内长长短短的古弄竟多达一百二十二条！有的深幽，有的绵长，有的弯曲自如，有的扑朔迷离。王家子孙两宅之间的叫石皮弄的露天弄堂，最窄处竟然只有0.8米，仅容一人行走，然而铺路的石板，却早已被行人的脚步磨得油光。可见，这里静静地流过了多少时光！

　　当然，西塘令人忘怀的地方还有很多：西塘杜鹃久负盛名，花开时节洋溢着一种热烈而又友好的气氛；西塘的特产黄酒、善酿酒等早已香飘海外；西塘的乡土美食更是让人食而忘返……

第三编 富春江—新安江之旅

|富春江－新安江|

[春山春水画不赢　一江流水一江诗]

　　富春江是钱塘江的中游，下起富阳，上至桐庐。由桐庐再上至淳安、建德，即是钱塘江的上游新安江。

　　"一江流碧玉，两岸点红霜。"富春江－新安江两岸山色清翠秀丽，江水澄澈明净，犹如一条碧玉带，盘曲逶迤于青山翠谷之间。

　　南梁吴均《与宋元思书》对富春风光作了极为生动的描写：

富春江之夜

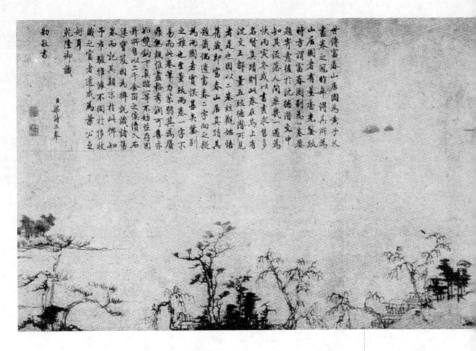

　　风烟俱净，天山共色。从流飘荡，任意东西。自富阳至桐庐一百许里，奇山异水，天下独绝。

　　水皆缥碧，千丈见底。游鱼细石，直视无碍。急湍甚箭，猛浪若奔。夹岸高山，皆生寒树。负势竞上，互相轩邈，争高直指，千百成峰。泉水激石，泠泠作响；好鸟相鸣，嘤嘤成韵。蝉则千转不穷，猿则百叫无绝。鸢飞戾天者，望峰息心，经纶世务者，窥谷忘返。横柯上蔽，在昼犹昏；疏条交映，有时见日。

　　新安江也素有"锦峰绣岭、山水之乡"和"第二漓江"的称誉。唐诗人孟浩然诗云："湖经洞庭阔，江入新安清"；"野旷天低树，江清月近人"。清代诗人黄景仁也赞曰："一滩复一滩，一滩高一丈；三百六十滩，新安在天上。"

　　富春江－新安江沿江富阳、桐庐、建德、淳安等县市，都有许多著名的名胜古迹，并有不少具有浓郁地方特色的村落和集镇点染其间，故可谓"春山春水画不赢，一江流水一江诗"。

富春江山居图(局部)
元
黄公望

| 富　阳 |

[大痴描画富春山水]

富阳市是自杭州至富春江－新安江途中的第一个城市，因元代大画家在此结庐隐居作《富春山居图》而得名。

元代，以"大痴道人"为号的山水画家黄公望，为奇丽的富春山水所迷，来到江边，结庐而居，春秋佳日，游息其间。黄公望以七十九岁的高龄，开始为这一片山水作画，常常"云游在外"，"袖携纸笔，凡遇景物，辄即模记"，终于用数年的时间，创作了《富春山居图卷》。清邵之麟说："子久（黄公望之字）画，书中之右军（王羲之）也，圣矣！至若富春山图，笔端变化鼓舞，又右军之兰亭也，圣而神矣！"

从黄公望《富春山居图卷》中，可以看到秋天的富春江景色。这是一个平和、宁静的世界。

"圣而神"的《富春山居图卷》后来有过一段不平凡的经历。明成化前，此画先为苏州画家沈周收藏，后为董其昌所得，继而又为沈图所藏，传其子吴洪裕。吴氏生平酷爱两件书画，一为《智永法师千字文真迹》，另一便是《富春山居图》。至临死时，仍对此二珍迹爱不释手，竟命人"焚以为殉"。先焚《千字文真迹》，当《富春山居图》被投入熊熊炉火时，吴已将瞑目，其侄从烟燎中把此珍迹抢救了出来。从此，这一名画被裁割成了两段。

"笔墨之外，别有一种荒率苍莽之气"，后人如此评《富春山居图卷》。与造化争神奇的志趣，使黄公望成就了其风格。也正是富春江的山水，为他提供了"步步可观"的意境。据说，后世，黄派山水崇拜者蜂起，画家们也极力仿效，以至到了"人人一峰，家家大痴"的程度。

[王洲、龙门续传东吴龙脉]

富春江上，散布着许多由江水冲泻、积聚而成的沙洲。南宋著名诗人谢灵运为这些江心绿洲起名"富春渚"，并写下了"霄济渔浦潭，且及富春郭。定山缅云雾，赤亭无淹薄。溯流触惊急，临圻阻参错"的诗句。

王洲蓄王气

在富春渚中，最负盛名的要数王洲。一千八百多年前，这里俗称洋涨沙。洋涨沙上有一个村子，叫瓜江埠，村民们大多以灌园种瓜为业。三国时创立了江东霸业的孙氏家族就是这块沙洲上居民的后代。据富阳县志载，孙权那个"碧眼紫髯"的祖父孙钟，原就在这里灌园种瓜。《三国志》载："孙钟之子、孙权之父孙坚，是吴郡富春人。"洋涨沙因为出了皇帝，遂名"孙洲"、"王洲"。

据富春孙氏宗谱记载，富春孙氏乃春秋时期大军事家、《孙子兵法》作者孙武的后代。孙武以兵法十三篇见用于吴王，西破强楚，北威齐秦，南服诸越，显名诸侯。周元王时，孙武长孙孙明被封为富春侯，遂为富贵孙氏宗族之始祖。隐居孙洲种瓜的孙钟为孙武二十代孙。

关于孙钟种瓜，当地有一个神奇的传说：有一年，他的十亩瓜地只结了一个西瓜。瓜熟之时，适好有一神仙变身的路人经过，心地善良的孙钟毫不吝啬地将一半送给了路人，另一半留给了年迈的老母。仙人大为感动，告诉孙钟说："你若前行百步筑坟葬，子孙必为帝王。"孙钟半信半疑，走了三十多步就回头了。所以后来孙权只能与曹操、刘备三分天下。也许是出于对先人的敬仰和延蓄王气的渴望，如今洲上仍保留着传说中的十亩"雄瓜地"，并且修建了庄严的宗祠，承续着孙氏的宗谱。

龙门有遗风

说起王洲，不能不谈到龙门古镇。龙门古镇坐落在富春江边仙霞岭余脉龙门山下。该地风景奇秀，相传东汉严子陵游历此处时曾赞叹："此地山青水秀，胜似吕梁龙门！"龙门镇由此得名。

自宋初孙权第二十六世孙迁居龙门，这里便成为东吴大帝孙权后裔最大的聚居地。富阳县现有近万名富春孙氏族人，龙门占六成以上。

千余年来，随着孙氏家族的繁衍昌炽，龙门古镇曾经非常兴旺。古镇的建筑布局，多是以厅堂为中心的规模宏大的"厅屋组合院落"，最兴旺时多达六十多座。这类院落，每一座厅堂即为一房或一小家族的祠堂。众多院落便构成了一幅孙氏家族的图谱。现在仍保存完好三十多座院落，多为明清时建筑。这些建筑，无论是从前高

龙门孙氏宗祠

第三编 富春江—新安江之旅

墙、长廊、深巷、装饰，还是从"迎曦堂"、"余荫堂"、"思源堂"、"明哲堂"、"积善堂"、"承志堂"等等这些堂名，都可多少感受到昔日王气遗风。

孙中山与富春孙氏

近年来，关于孙氏宗族源流的研究、考证，取得了很大的进展。许多例证表明，富春孙氏宗族几乎在全国各地都有分布。其中有一个发现特别令人瞩目："国父"孙中山家族，其世系也源出富春孙氏。罗香林《国父家世源流考》云，孙中山祖上曾由浙江迁至福建，而后居于广东。19世纪80年代初，广东发现了封面题为《富春孙氏宗谱》的孙中山家谱。现存《富春龙门孙氏分谱》序言中提到，孙中山逝世后葬身南京恐非偶然，很可能主要是因为那里有先祖孙权的灵寝。

[鹳山幸有双松挺秀]

鹳山，是富春江边的一座玲珑小山，因形如迎江俯瞰的鹳鸟而得名。传说三国时山顶有道观，故又称"观山"。

鹳山的山腰，有"春江第一楼"，可远眺澄碧清莹的富春江水。这里的"鹳山望月"、"中沙落雁"、"吉祥晓钟"、"鹳岭晴云"、"樟岩朝雾"、"花坞夕阳"、"恩波夜雨"、"苋浦归帆"等景致，被称为"春江八景"。

富阳是著名现代作家郁达夫的故乡。郁达夫（1895—1945），原名郁文。早年留学日本，1921年参与发起创造社，出版了新文坛最早的白话短篇小说集《沉沦》，以其"惊人的取材、大胆的描写"而震动文坛。后在北京大学等校任教，与鲁迅合编过《奔流》月刊。抗日战争中参与国民政府军委政治部第三厅的抗日宣传工作。后流亡苏门答腊，保护和营救了不少当地志士和华侨。1945年日本投降后被日本宪兵秘密杀害。1952年，被中央人民政府追认为"为民族解放殉难的烈士"。其弟郁华（曼陀）在沦陷时期的上海孤岛，曾以法院刑庭庭长的身份，掩护和营救了不少爱国人士，终遭日伪特务暗杀。

现代作家郁达夫为自己的家乡自豪不已，曾发出"实在是天下

郁达夫像

富阳鹳山双郁亭

劫后湖山谁作主,
俊豪子弟满江东。

无比的妙景"的赞叹。也由家乡的景物,引发对民族命运的深忧:"风月三年别富春东南车马苦沙尘。江山如此无人赏,如此江山忍付人!"(《题春江第一楼》)最后,他为家乡,为祖国,献出了自己的生命。为纪念郁曼陀、郁达夫兄弟,富阳百姓在鹳山春江第一楼之侧造双郁亭。亭中,"双松挺秀"四字为茅盾所题。"劫后湖山谁作主,俊豪子弟满江东",亭中楹联集自曼陀、达夫昆仲的诗句,含豪放悲壮之气概。离双郁亭不远,有郁华为奉养老母而建的"郁氏别业"（松筠别墅）。郁母因耻于当亡国奴，于1937年12月在此绝食而逝。真可谓一门忠烈！郁氏别业现已辟为纪念馆。

| 桐 庐 |

[先生之风　山高水长]

"江阔桐庐岸，山深建德城。"风景如画的桐庐县境内，有两处最值得骄傲的名胜，这就是桐君山和富春山东西钓台。

桐君老人今何在

桐君山在桐庐县富春江与天目溪交汇处，素有"峨嵋一角"之称。近代康有为赞道"峨嵋诸峰不如此奇"。

桐君山上有桐君老人祠，祠内柱子上镌刻着著名指书书法家孟庆甲写的一副对联："大药几时成？漫拨炉中丹火。先生何处去？试问松下仙童。"

相传轩辕黄帝时，桐君山上，有一老人在桐树上结庐栖身，每日采药不息，为人治病。人问其姓名，则指门外桐树以示，因此人们尊称他为桐君，此山也由此得名。梁代陶弘景的《本草序》和明代李时珍的《本草纲目》均对其人有记载，尊其为中华医药之祖。这位悬壶济世的老人，连姓名也不曾留下，其高格自非一般人可比肩。桐君老人祠便是后人为纪念这位老人而修建的。

东西钓台风萧萧

在桐庐县城以西约三十里的富春江北岸的富春山，因相传是东汉高士严子陵隐居处，故又称严陵山。

富春山半山凌空对峙着两座磐台，一称东台，一称西台。东台依山耸立，台上光洁平整，可纳百余人。因传此台即为严子陵隐居垂钓处，故名严子陵钓台。台上旧有碑亭和"山高水长"石坊，并立有严子陵像，像的两侧庭柱刻有一副楹联："出处贵知己，缅当年樵水渔山，旧雨无心干帝子；来去皆幻迹，独此地滩声岩影，高风

严子陵钓台图轴

元

萨都剌

云山苍苍，
江水泱泱；
先生之风，
山高水长。
——范仲淹

终古属先生。"

严子陵，名光，原姓庄，为避汉明帝刘庄的讳改姓严。少年时曾和刘秀同窗共读。刘秀当上皇帝后，曾召他上京，封为谏议大夫。严子陵辞官不受。为躲避刘秀的屡屡征召，他归隐于富春江畔，以渔樵自娱。相传唐代李白曾携酒到此畅饮，诗曰："我携一樽酒，独上江渚石。自从天地开，更长几千尺。举杯向天笑，天回日西照。永愿坐此石，长垂严陵钓。寄谢山中人，可与尔同调。"李白欣赏的主要是严子陵高洁孤直的个性。

传说严子陵曾被光武帝刘秀召进宫中，彻底长谈，瞌睡之中，严子陵加足于帝腹，以致第二天一早太史即跑到金銮殿启奏："昨夜测观星象，见一客星犯帝星。"由此，后人又称严子陵为"客星"，并立有"客星碑"。严子陵洒脱不羁的性格，以及隐逸不仕的精神，向来得到士人的推重。宋代文学家范仲淹任睦州（今建德）州官时，经常遨游钓台，还特地修建了严子陵祠，写了一篇《严先生祠堂记》。相传范仲淹曾与好友李泰伯同游钓台，忽然一阵清风拂过。范仲淹击掌连呼："好风，好风，好一阵钓台之风！""钓台风"从此盛传。"云山苍苍，江水泱泱；先生之风，山高水长"，范仲淹在《严先生祠堂记》中对严子陵的推崇主要是从道德作用和政治影响出发的。

当然，对严子陵持贬抑态度的也大有人在。鉴于他不臣君上的隐逸精神与传统伦理道德的相悖，朱元璋就曾觉察到隐逸中内含的叛逆性："吾观天下之罪人，罪人之大者，莫大乎严光。"协助朱元璋打天下的刘伯温也说："不是云台兴帝业，桐江无用一丝风。""云台"指的是刘秀之子为中兴功臣们画像的台阁。明代"后七子"首领王世贞说得更尖刻："沧浪之清，可以濯缨？渭水钓利，桐江钓名。"在他看来，姜太公出任是"钓利"，严子陵隐迹是"钓名"，二者都是"沧浪之浊"。清袁枚《随园诗话》所引无名氏的一首诗，也把严子陵披裘、钓泽中都看作是有意作态："一著羊裘便有心，虚名传颂到如今。当时若著蓑衣去，烟火茫茫何处寻？"今人黄裳更是独具慧眼，在《钓台》一文中说：并立着两座钓台，似乎向游人分别宣示着两种截然不同的价值取向和人生意旨。一种是鸡鸣风雨之际，以极热的心肠，椎心刺骨，奔走呼号；另一种则是"苟全性命于乱世，不求闻达于诸侯"，一头扎进与世隔绝的空山……

　　富春山西边的磐石，相传是南宋末年谢翱恸哭文天祥之处。谢翱字皋羽，为文天祥部属，文天祥被俘就义后，谢翱登上西台祭吊文天祥，以竹如意击石，写下了悲壮的《登西台恸哭记》，并作《西台哭所思》诗："残年哭知己，白日下荒台。泪落吴江水，随潮到海回。故衣犹染碧，后土不怜才。未老山中客，唯应赋《八哀》。"谢翱死后葬于钓台对面的江边。后人为纪念谢、严二人，在西台筑了"双清亭"。

建　德

[远祖遗迹在　往事不如烟]

　　建德是新安江边的城市，风景奇丽，历史悠久。市南24公里处有号称"浙西小九华"的大慈岩，山上有中国最大的天然立佛，还有充满神话色彩的灵栖洞。七里泷"小三峡"有春秋战国时期的伍子胥渡口。城东三十多公里处有与严子陵有关的梅城，及被历史学家称为"中国第一个女皇帝"的陈硕真殉难的落凤山。而历史最为久远的则是城南十里的乌龟洞遗址，考古学家从这里发掘出智人阶段的人类化石"建德人"，在考古学和人类学上具有重要意义。

浙地远祖"建德人"

　　乌龟洞遗址在建德县城南十里的李家乡新桥村。洞口朝南略偏西，高0.6米，宽约4米。

　　1974年，中国科学院古脊椎动物与古人类研究所同浙江省博物馆合作，在洞内发掘出了含化石的上下两部分地层。在上层化石中，除了有猕猴、鬣狗、大熊猫、中国犀、水牛、鹿、剑齿象等十一种哺乳动物化石外，还有一颗人类的右上犬齿化石。这颗化石，距今约五万年，大体相当于地质年代中的第四纪更新世晚期的后一阶段。故断定其为智人阶段的人类化石，并命名为"建德人"。

　　据研究，这颗犬齿化石的主人约在三十岁左右。同现已发现的

183

各种古人类的犬齿比较，这颗犬齿的大小、形式与早期智人类型的"柳江人"相似；而其出土的地层和共生的动物，也恰好相当于那个时期。

乌龟洞遗址的发现，在考古学上有着重大的意义，为智人化石的研究提供了新的材料，并且证明，早在五万年前的远古旧石器时代，浙江的土地上已有古人类生活着。

子胥渡口空悠悠

黄公望隐居之处，就在"小三峡"——七里泷一带。七里泷又称七里濑、七里瀬，是一段46里长的峡谷。这里群山连绵，悬崖削立，曾经"三里一危湍，五里一急壑"。其中，芦茨、子陵、子胥三峡被誉为"小三峡"。如今，峡口已建坝，七里泷已变成了湖平如镜的水库。

七里泷两岸，危立的石壁上，有伍子胥庙，附近还有子胥渡口、胥村、胥源、胥岭、胥洞等古迹。相传，春秋战国时期，伍子胥逃避楚平王谋杀，投奔吴国，在此渡江。入吴后，还曾在此隐居躬耕。自子胥渡口往上，就是乌石滩。据传，岳飞、韩世忠等曾来此，并在岩壁上题字。

半朵梅花严子陵

梅城在城东70里，原为严州府治。因形似半朵梅花而得名。梅城有范仲淹的潇洒楼、陆游的听事厅以及清代余集校点《聊斋志异》的八角亭等众多古迹。其中最负盛名的是建于隋末唐初的双塔。"雁塔盘空耸秀，突兀碧云间，百尺栖头上，烟雾锁栏杆。"两塔隔江相对，故又称"夫妻塔"。北塔下有一平台，传为宋时方腊点将台。塔东数十步有碧波井，井水随江水变化而变色。南塔中有明嘉靖督御史胡宗宪撰文的《两峰建塔记》石碑。

相传梅城是严子陵修筑的。当城建造了一半时，有人向皇帝告状。因梅花城是"天子"的居所，其他人造梅花城则犯了杀头之罪。严子陵闻讯后，便舍弃了梅花雉堞，隐居到钓台去了。故梅城也称严州。

又说梅城为宋时所筑。相传宋朝有个皇后是严州人，拟回家省亲，为显其荣耀，请求皇帝将严州城改建为梅花城。可惜城刚建一半皇后即去世，故只留下半座梅花城。

"文佳皇帝"殉难处

落凤山，俗称平山，在建德城东36里的新安江畔，为农民起义军女首领陈硕真牺牲处。

唐永徽四年（653），陈硕真在梓桐源（今淳安）聚众数万起义，自称"文佳皇帝"，比武则天称帝早三十一年。义军连克六县，后在婺州刺史崔义玄和扬州刺史房仁裕合击下失败。相传陈硕真被围困后，仍顽强抗击。牺牲时，忽有彩凤长鸣一声，飞落在山顶，负陈硕真而去。这座山因此叫落凤山。山上建有落凤亭。落凤山上松林茂盛，其间几棵参天古柏，据传为当年彩凤撒下的羽毛所变。

历史学家翦伯赞称陈硕真为"中国第一个女皇帝"。新安江畔，有不少陈硕真起义的遗迹。梅城是她登基称帝之处。青狮山，则是义军同官兵激战过的地方。传说正当义军寡不敌众的危急时刻，陈硕真的坐骑青狮驹突然山崩地裂似的一声长啸，顷刻间，变成一座大山。官兵们被分隔在山前山后，溃不成军。"青狮山"之名由此而来。

|千岛湖|

[朝晖夕雨 气象万千]

千岛湖，又称新安江水库，是拦截新安江上游流水的一个大型水库，因有1078个大小岛屿而得名。湖的总面积达86万亩，比西湖大一百零三倍。千岛湖的美景，以山青、水秀、洞奇、石怪而著称。其中尤以龙山、姥山、羡山、蜜山、龙羊山诸岛更胜。

龙山

龙山位于千岛湖的中心，其形酷似苍龙，因而得名。古人游龙

185

千島湖

山诗云："蹑履龙山上，游观此日奇。断山青借树，沪水绿成溪。风软香生袖，云飞岭欲移。黄鹂似相连，隔叶两三啼。"

龙山上有海瑞祠。明嘉靖年间，海瑞曾任淳安知县四年。他为官清正，深得百姓爱戴。淳安民间至今还流传有海瑞的故事。传说，一天，海瑞来到排头岭下，忽见衙役领来一个汉子和妇女，那汉子告那妇女偷了他瓜地的两只瓜，而妇女怀抱着一个周岁的孩子，气得嘤嘤哭泣。海瑞随他们一同来到瓜地，在听完那汉子叙述的经过后，让妇人把孩子交给这汉子抱着，叫他把妇人偷瓜的情景再做一遍。一个多时辰过去，汉子虽然累得浑身大汗，却怎么也抱不起两只瓜。最后，只好承认自己诬赖了。

蜜山·龙羊山

蜜山岛是千岛湖东南面的屏障。山巅两侧有蜜山泉，水质甘冽，四季不竭，传为东南第一泉。西南山腰有三个立式和尚坐化坟。相传这就是发生"一个和尚挑水吃，二个和尚抬水吃，三个和尚没水吃"的地方。据说后来仙人看到和尚没水吃，很同情，就点化出了蜜山泉。三个和尚也因此而感动，变懒为勤，开辟了八百石阶的登山大路。

蜜山岛上原有蜜山庵，现尚存"圆寂蜜山堂遗址"。

龙羊山以遍地野桂而闻名，又称桂花岛。相传是龙女牧羊之地。岛上多怪石，有"人在石缝时，天从洞中出"的乐趣，最著名的景观为犀牛啸天、清波印月、石门通天、望湖石、通江洞等。

|淳 安|

[朱熹问渠　方腊点兵]

筑建新安江大坝后，有一座完整的城市留在了水下，这就是贺城——原淳安县府所在地。贺城始建于东汉建安十三年（208），因是孙权的部下贺齐所建，故名。明代，此地出了名相商辂。这位连中乡试、府试、京试第一的"三元宰相"，曾告诉皇帝，淳安有铜桥、铁井、小金山，而令皇帝惊叹。从此，就有了这样的歌谣："铜桥、铁井、小金山，石峡书院活龙山"。其实，铜桥，是桐桥的谐音；铁井，则是名实相符，井中的水做出的豆腐干五香俱全。这两个遗迹，如今都留在了千岛湖底。小金山、活龙山都已成水上的小岛。

南宋熙宁年间，理学家朱熹曾在淳安县郭村瀛山书院讲学三年。著名的"半亩方塘一鉴开，天光云影共徘徊。问渠哪得清如许？为有源头活水来"的诗句，就诞生在这里。今书院已毁，大观亭、德源亭、方塘等遗迹尚存。

淳安还有"与国同休"额、"隐将"碑、"上马桥"以及太祖女儿墓等遗址，均为明太祖朱元璋在此屯兵时所遗留。

此外，方腊洞也是一处重要古迹。

方腊洞，在淳安县唐村，原名帮源洞，后人为纪念北宋末年农民起义领袖方腊，改今名。宋徽宗宣和二年（1120），方腊在漆园誓师起义。他自称"圣公"，年号"永乐"，聚百万之众，克七州五十二县，威震东南半壁江山。宋徽宗派童贯率兵五十万，前往镇压。起义军失利后，退守帮源洞。次年，方腊被俘，后在开封就义。

方腊洞的附近，还有义军操演场、拴马场、圣公泉、百花台、点将台等遗迹。

|诸葛村|

[文物的金矿　永远的心香]

诸葛村位于浙江中西部的兰溪市。这个村虽然地处偏远，却是个"卧龙藏虎"的地方。居住在镇上的5000多户居民中，有2700多人姓诸葛，在它附近的十多个村落里，还散居着上千户诸葛姓氏的人家。其中，最典型的要数诸葛村，村里70%以上的人都姓诸葛，村民祖辈更是无人不知自己是诸葛亮的嫡传后裔。

关于诸葛村的来历，据《高隆诸葛氏宗谱》载，本村的诸葛氏奉诸葛亮的父亲诸葛圭为始祖。也有说是五代时，诸葛亮的十四世孙诸葛澜"宦游山阴，以寿昌县县令终，遂家焉。其子青，则迁兰

之始祖也"。大约元代中叶，诸葛亮第二十八代孙宁五公携两个孙子定居现在的诸葛村。当时该村叫高隆村，取诸葛亮高卧隆中的意思。诸葛氏在高隆定居下来之后，便遵循祖训"不为良相，便为良医"的遗言，开始经营药材生意，父子相传，子孙相袭，经过数代人的努力，至明末清初，所开设的大小药铺遍及兰溪市，甚至将药材生意扩展到苏州、上海、温州、杭州等地。诸葛家族做药材生意发达起来之后，最大的投入就是按传统习俗营建家园。

　　古人在建筑上首要之事便是关注风水，所以选中此处主要就是因为这里风水好。有的风水师说，此处为"葡萄形"，后世子孙将会如葡萄一样果实累累，繁衍不息。也有风水师将它比做"美女献花"，村落形如展体仰卧的女子。于是，在规划时就设水池（名曰钟池）为牝门，并将最重要的宗祠丞相祠堂设置在牝门之旁，以利子孙的繁衍。后来这一系诸葛后世果然人丁兴旺，至明万历年间已"族属数百家，人民几千口"。

　　诸葛村的设计布局，以"钟池"为灵魂。令人惊讶的是，圆形"钟池"半边池水半边干地，合起来刚好似一幅阴阳太极图。钟池的位置不仅在地理上居于全村的中心，在整个建筑设计上也处于众星捧月的地位。在钟池周围，几十座古老的厅堂及村民住宅均环池面而建，排列有序。村里的八条交通巷道也呈辐射状，从钟池向四周伸展出去，将全村分为八块，从而形成了内八卦，分别归入坎、震、巽、离、坤、兑、乾八个部位，最后，分别通向村外的八座小山岗。村外八座小山似连非连，正好形成八卦方位的外八卦。当人们登上山岗展望全村，村落的结构完全是一幅巨形的八卦图。在八条巷道上又派生出许多条支巷，起到横向沟通的作用。对于不谙巷道的外地人来说，恐怕会走得进去，却走不出来，犹如陷入诸葛布下的迷魂阵，横来直去，不知所向。曾经有人提出这样一种看法，认为当初的设计者是有意按照诸葛亮的八阵图来进行构造的。作为诸葛亮后裔的聚居地，设计、构筑出如此匠心独运的格局，也是合乎情理的。

经过600多年的岁月沧桑，诸葛村总体格局依然保存到今天。古墓、古井、古祠堂，"青砖小瓦马斗墙、肥梁胖柱小闺房"，阴阳相生相克，祥瑞之气盎然，那规模、那气势、那艺术成就，至今仍给人以震撼。据专家考察，诸葛村建筑类型上的楼上厅和前厅后堂楼，在全国范围内都属少见。目前村内保存较好的明清建筑有二百多处。其中有大公堂、丞相祠堂、崇信堂、崇礼堂、雍睦堂、大经堂等18座堂，另有18座厅、18口井及8条主巷等。所以诸葛村被国家文物局专家组称为"传统民居古建筑的富金矿"，是一个巨大的活文物，并被列为国家重点文物保护单位。

兰溪诸葛村钟池

兰溪诸葛村大公堂

　　诸葛亮是一个在中国妇孺皆知的历史人物，但由于岁月的久远，他的故里究竟属湖北襄阳还是河南南阳，至今纷争不已。但诸葛村作为其后裔最大的聚居地则是公认的。

　　特别具有象征意义的是，如今，在诸葛家族的发祥地已无法看到当年的丞相祠堂了，但在兰溪诸葛村却得以保存。从宗谱中的《高隆族居图》上看，诸葛村在鼎盛时期，共有大小祠堂达45座之多，其中最宏伟壮观的就是这座丞相祠堂。丞相祠堂是这支诸葛氏的总祠，建筑面积近800平方米，规模宏大，形状奇特。它的门屋、廊庑及供奉诸葛亮神主寝室，组成一个"口"字形，在祠堂正中还建有一个高大华丽的正方形"中厅"，作为举行祭祀仪式的专用场所。祠堂的门屋、中庭和"寝室"都是五开间结构。还建有钟楼和鼓楼。在古代，具有这样规格的宗祠是三品以上的官员才能享用的。

　　大公堂也是为纪念诸葛亮而建的。它位于村落中心，面对"钟池"。正门当中额枋上有白底黑字"敕旌尚义之门"的横匾，两侧次间粉墙上楷书"忠武"两个大字。堂内挂有"三顾茅庐"、"舌战群儒"等11幅故事画，令人遥想诸葛亮的丰功伟绩。三进大厅正太师壁上书有武侯诫子书"非淡泊无以明志；非宁静无以致远"，以永远铭记先祖的教诲。

　　中国人对先祖先贤总是一往情深、持久缅怀的，但愿这瓣心香得以永远延续。

武义古村

[郭洞：郭外风光古　洞中日月长]

郭洞古村在浙江中部武义县南的千重翠嶂之中。郭洞三面环山，村因"山环如廓，幽邃如洞"而得名。

郭外风光凌北斗

郭洞似乎一切都不寻常。村子的自然环境就富有神奇的色彩。环村三山之中，以东头的龙山最为奇特，山上云雾笼罩的天然自生古木林中，百年以上的古树比比皆是。村的北面是一片平地，其远处被青山左右相拥，正好印证了古代风水学说的"狮象把门"之势。有双溪汇流于村口，并沿西山环村而流。溪流上建有回龙桥。该桥始建于元代，是郭洞最长的建筑。桥外有一道5米高的坚厚城垣，旧时村民均由城门出入。城门、城墙均有楹联道出古村的不凡。城门楹联曰："郭外风光古；洞中日月长。"城墙楹联曰："郭外风光凌北斗；洞中锦绣映南山。"

村口有座庙，不大却很亮堂，一点也没有一般村庙那种昏暗压抑之感。庙中土地菩萨、火德星君、关公老爷等五位尊神各司其职，保一方平安。外人至此，多驻足凝神，一股庄重凝重之感油然而生。

洞中锦绣映南山

据武义县志载，郭洞的历史可以追溯到宋代，但真正发达是在元代。据何氏家谱云，元至正十年（1350），深谙风水之道的何寿之自武义进山看望住在郭洞村的外婆，一到村口便认定此处乃"万古不败之地"，遂生迁居之意。他按古代《内经图》营建郭下村，其后代又在山谷深处续建郭上村，两村上下呼应，从而暗合阴阳。此后六百余年，何氏这个自宋徽宗的丞相何执中起即显赫的家族，子孙绵延，书香不断。仅明清两代就出贡生10名，增广生14名，廪膳生10名，府县秀才114名，成为郭洞乃至武义闻名遐迩的望族。

郭洞村由于地处深山，大片的明清古建筑得以完整保存，被专家誉为一部从宋代直至民国的建筑编年史。其中最重要的建筑要数

郭洞水口回龙桥

建于明万历年间的何氏宗祠。该建筑规模宏伟，气象肃穆，总面积达一千多平方米，祠堂上方挂着近百块历代官员赐给何家的大匾。祠中还建有古朴典雅的大戏台，这个有过无数族内仪式和村中节日庆典的隆重热闹的建筑物，至今仍是郭洞的荣耀。

地处深山的郭洞还有两点特别值得称颂。其一是文风之盛。为传续书香、训化子孙，郭洞在四百多年前就由第八代祖荆山公创办了私塾"啸竹斋"。清康熙年间又扩大为"凤池书院"，并作读书歌传唱：

一代绝书香，

十代无人续。

书不读，祠仪薄，

纵有儿孙皆碌碌……

　　郭洞人不但学文，而且习武，村中既有书院，也有武馆。明清时该村114名秀才中，有武秀才35名，还出过一名武举人。

　　其二是对自然生态的爱护。据说何氏祖先为了保住风水，曾下令严禁任何人在小山坡上打柴，凡毁一棵树者将被罚破一节手指。如今郭洞仍有如此良好的生态，实在应该感念远见卓识的先祖！

[俞源：太极布局有玄机　耕读传家多底蕴]

　　俞源古村在浙江中部武义县西南。由一个俞姓杭州人始建于南宋。走进这个古老的村落，首先让你着迷的是一个个藏有玄机的传说和故事……

玄机处处

　　据俞氏宗谱载，俞源村建村的原因是：一个俞姓杭州人南迁后不久，在松阳县当官的父亲去世，他在将父亲的棺椁运回杭州途经此地

俞源伯温草堂大门

时，认为这里风水非常好，当即决定将父亲安葬在这里，并就此定居。然而，开始时并非风调雨顺，而是年年非涝即旱，有时还有瘟疫肆虐，是元末明初大名鼎鼎的刘伯温帮助俞源村改变了现状。

据说，俞氏第五代传人俞涞与刘伯温交好，曾请刘来村小住。刘伯温环村一周后，认为俞源村外围有十一道山峰环绕，确为福地，只是村中溪水直行将瑞气泻尽了。若改直为曲，以道教"天罡引二十八宿，黄道十二宫环绕"的太极星象图建造，即可钟灵毓秀。俞涞欣然听从，经几代人的营造成形，以后果然家族兴旺，人才辈出。明清两朝，一个小小的俞源村竟然出过尚书、抚台、知县、进士、举人 260 余人。为纪念刘伯温，村中建有伯温草堂。

这个传说的真假已难考，但有几点是无疑的。其一，此事见于俞氏宗谱。其二，据近年专家考察，俞源村确是按太极图设计建造的，其布局与 1974 年在河北宣化辽墓中出土的星象图排列完全一致：从村后山岗高处俯瞰，一条山溪（后名太极河）从东南方入村，然后呈"S"形流向村外田野，正好与四周青山在村口形成一个巨大的太极图。此图正处"双鱼宫"位置，与围绕村子的十一道山岗恰好组成"黄道十二宫"。而村中的二十八处古建筑则按二十八宿的方位排列。村中名曰"七星塘"的七口水塘，亦成北斗七星状，村中最重要的建筑——俞氏宗祠正好被装于"斗"内。其三，据宗谱记载，自按太极图建村后确实没再发生过一次旱涝灾害。

另外，据说俞源众多古建筑的木雕、砖雕、石雕中，从没遭到过白蚁、蜘蛛、苍蝇、蚊子的侵害，也从无鸟雀在里面过夜；村尾双溪交界处有个"洞主庙"，传为江南著名的圆梦胜地，当年自带睡具在庙四周过夜圆梦者每每数以千计……

耕读为本

如果在村中徜徉，你就会发现，玄机固然不可谓不玄，但俞源村立足的根本还是在耕读。

俞源村处处洋溢着中华传统文化的氛围。村中现存自宋以来的历代古建筑近四百幢，宗祠、寺庙、民居、亭阁、牌坊、藏书楼一应俱全。其中有用于幼儿教育的家训堂，有儿童启蒙的六峰书院，有供年轻人操办婚事的堂楼厅，有中年人休闲俱乐的藏花厅，有尊老敬老的养老堂，也有祈求国泰民安、风调雨顺的神庙和作为全村最重要建筑的俞氏宗祠。

村里的古建筑、民宅中，有两种图像几乎举目可见：一是太极，二是龙。巷道、梁柱、墙壁、门窗，甚至很多生活用品上都有形态不一的太极和龙的形象。

由于世代书香人家居多，很多古建筑都有富有诗意的名字，如俞氏宗祠就有一个得自俞伯牙、钟子期"高山流水"典故的堂号"流水堂"，在这僻静的山村，能听到高山流水的余韵，实在令人感慨。

俞源民居马头墙

197

不少古建筑门柱、内堂、外墙还保存有精湛的书画作品。如上下万春堂，当年的主人是当地有名望的书画家，大门门额上"丕振家声"四字，为清光绪十年拔贡俞锦书所书，至今墨色犹新。两边墙上两篇文章，亦显书法功力。

一个深深隐藏的小小古村，就是这样充满了难以言说的魅力……

|金 华|

[闻说双溪春尚好]

金华位于浙江中部偏西，属金衢盆地的一部分。《玉台新咏序》云："金星与婺女争华，故曰金华。"金华在东汉初平三年（192）始建县，当时以县境东北的长山（即金华山）命名为"长山县"，迄今已有一千七百多年历史。以"金华"命名，则是在南朝陈之天嘉三年（562）。以后又曾因其地在天文上为婺女分野，而名婺州。

双溪炸艋舟

山水中国 浙江卷

关于"金华"一名，来自民间的传说认为与黄帝炼丹有关。当年，黄帝炼丹时，其鼎压出了一片鼎湖，湖岸遍长金色的花朵。黄帝驾龙升天后，湖岸的花朵也随之收回到天上。只有一朵花瓣随风飘到一座山上，日夜发出耀眼的金光。人们称之为"金花"，此山便名为"金花山"了，以后，这一名字逐渐演变为"金华"。

金华的秀丽山川，曾吸引众多的文人学士。南朝的沈约，唐代的陈子昂、孟浩然，宋代的苏轼、王安石，元代的赵孟𬭚等，都在此留下了足迹。宋代女词人李清照在靖康之难后，避乱来到江南，在金华居住了很长时间，其《武陵春》词中"闻说双溪春尚好"句即咏诵金华婺江两岸的绮丽风光。南宋吕祖谦曾在这里著述讲学，开创了浙东学派，对中国学术思想史产生了很大影响。

金华盛行斗牛之风，两牛相斗，惊险壮观。此民风始于北宋年间，明末流行起来。清人陈其元《庸间斋笔记》载：古婺江两岸"每逢春秋佳日，乡氓祈极祭赛之时，辄有斗牛之会"。"祈极祭赛"为古时民间一种祈天酬神的庙会，因此斗牛往往以神庙为中心。

金华斗牛之俗体现了东方人的拼搏精神。斗牛活动一般始于农历三四月间，于次年春耕前结束，分"开角"、"放角"、"接角"、"封角"等阶段。斗牛的入场式，名为"迎牛"。各家的斗牛头簪金花，身披红绸，由护牛壮士呼拥而入，并拈阄决定角斗次序。牛性发作后，两牛相斗，一次次交锋，最后以撞倒或击退对手者为胜。

金华的山水奇秀，绝胜处则是北山三洞。金华北山在金华城北约30里处，又名常山、长山，是中国道教的第三十六洞天。距今约一亿三千多万年的中生代白垩纪的山脉运动，给这一带留下了广大的石灰岩，水溶后形成许多奇特的岩洞，曾有"五洞十景"之说。其中，双龙洞、冰壶洞、朝真洞合称"金华三洞"。

双龙洞享有"水石奇观"之誉。徐霞客日记中写道："双龙外洞，轩广宏爽，如广厦高穹，闾阖四启，非复曲房夹室之观。而天筋天矫，石乳下垂，作种种奇形异状，此双龙之名所由起。"洞口两侧各有一块钟乳石，状若龙头。据传说，这原是两条看守天池的小神龙。

冰壶洞深40多米，形若壶体，以"一瀑垂空下，洞中冰雪飞"称奇。徐霞客当年曾执杖垂炬而下，但洞中寒气滚滚，不见其底，令他惊叹万分。郭沫若也诗赞:"银河倒泻入冰壶"。

朝真洞又称真人洞,万历《金华府志》云:"巍然在上,去天若尺五者曰朝真。"相传古代有得道真人栖居于此,为民除害,降伏了蝙蝠精、螺丝精等妖魔。洞中的花瓶洞、螺丝洞、石弄堂、石棋盘、一线天,便是得道真人的遗迹。

另外,赤松山也是金华的著名景观,据说是赤松子成仙处。晋朝葛洪所撰的《神仙传》中,有皇初平牧羊的故事。皇初平是魏晋时期的牧羊人,遇道士指点,来到金华山石室内,修炼四十余年。其兄皇初起寻之,见初平,问羊在何处?初平答:"在山之东。"前去一看,但见白石磊磊,并不见羊。初平大吼一声"羊起!"便见周围之石已成活生生的羊群。皇初平此时已成为仙人,叱石成羊或曰点羊成石,便是其法术之一。因他自号赤松子,他曾经牧羊的这座山后世也称赤松山,又叫卧羊山。

赤松山在金华市北15里。山上有数处皇初平遗迹。二仙祠,相传为皇家兄弟学道登仙处;棋盘山、徐公湖,传说是皇初平和另一位仙人安期生下棋之处,《太平寰宇记》载:"昔山下居人徐公登山至湖,逢见二人共博,自称赤松子、安期生。酌湖中水为酒饮,徐公醉。及醒,不见二人。"

| 侍王府 |

[太平天国遗物]

金华是闽、浙、赣、皖的交通枢纽,也是军事战略要地。清咸丰十一年(1861),太平天国侍王李世贤率军攻克金华,并在此建侍王府第。李世贤以金华为中心,指挥所部太平军,攻占了浙江全省,为太平天国建立了东南的屏障和物质供应基地。

侍王府在金华市城东酒坊巷。这里是唐、宋时的州治所在地,元初的浙东道宣慰司署,明初曾是朱元璋的驻地,后为巡按御史行台,清时为试士院。侍王府的整个建筑群分宫殿、住宅、园林三部分。议事厅后有耐寒轩,俗称古柏厅。左右天井中有古柏各一株,相传为五代吴越国钱武肃王手植。

侍王府内有大小三百多幅壁画、彩画、木雕、石雕和砖雕，是研究太平天国历史的重要实物。表现较多的有龙、狮、象等太平天国时期的崇拜物，也有渔、樵、耕、读等民间生活的图景。其中《兵营图》展现了太平军作战的场面，画面极为雄壮。《樵夫挑刺图》则细致地表达了百姓淳朴的民风。两位正在小憩的樵夫，一位手扶松树，抬起右脚，另一位则坐在石上，拿着针细心地为同伴挑脚上的棘刺，构图别致，栩栩如生。

|八咏楼|

[江山留与后人愁]

"西流二水玻璃合，南去千峰紫翠围。"八咏楼坐落在金华市城东南，婺江二源（义乌江、武义江）汇流其下。

八咏楼原名玄畅楼，南齐隆昌元年（494），沈约守东阳郡时建成。沈约是南朝著名的文学家、声律学家，首创"四声"之说，并曾与谢朓等人开创了"永明体"。此楼建成后，他曾写了一篇《登玄畅楼》诗，云："危峰带北阜，高顶出南岭。中有凌风榭，回望川之阴。"后又复咏长歌八篇，传诵遐迩。后人遂将楼易名为"八咏楼"。

八咏楼

元末以来曾迭经毁建，现存建筑系清代重建。

南宋女词人李清照居住金华期间，经常登上八咏楼，远眺山川景色，写下不少题吟佳作，其《题八咏楼》云："千古风流八咏楼，江山留与后人愁。水通南国三千里，气压江城十四洲。"

曾与八咏楼结缘的，还有三位豪杰。明嘉靖年间，戚继光奉命到浙东抗倭。因旧军不力，他来到金华八县招募子弟兵。传说他曾登临八咏楼极目俯瞰，双溪景色尽收眼底，因而受启发，在沿海造望楼以察敌情。明末兵部尚书朱大典率军抗清，战死在八咏楼上。太平天国侍王李世贤亦曾在此检阅太平军。

衢州

["控鄱阳之肘腋，扼瓯闽之咽喉"]

衢州，又称三衢。位于钱塘江上游，北有千里岗山脉，南倚仙霞岭余支，衢江横贯东西。"控鄱阳之肘腋，扼瓯闽之咽喉，连室歙之声势，东南有事，在所必争"，是浙、赣、闽、皖四省交通之门户。史载："州有三衢山，因取为名。"又曰："昔有洪水自顶暴出，界兹山为三道，因谓之三衢。"

近年来，衢州一带发现许多商周时的印纹陶器、原始青铜器和玉玦等玉器，证明了四五千年前，人类已在此生存。唐代韩愈《徐偃王庙碑记》载，西周时，徐偃王曾迁到衢州居住，漫长的历史岁月，给衢州的山山水水留下了许多人文遗迹。衢州有峥嵘岭、仙霞关、江郎山、烂柯山等名胜之地。

峥嵘岭在衢州城东南隅。唐诗人孟郊的《峥嵘岭》诗云："疏凿顺高下，结构横烟霞。坐啸郡斋啸，玩奇石路斜。古树浮绿气，高门结朱华。始见峥嵘状，仰止愈可嘉。"

唐乾符五年（878），黄巢起义军攻克衢州。然后，黄巢军开山七百里，中经衢州的仙霞岭到达逮州（今福建建瓯）。此道一开，衢州形势更为险要。衢州有不少关于黄巢起义军的传说。据说，城西的岩山，是起义军扎过营的地方，故叫"营盘山"。城西有"驿马桥"，黄巢曾在此歇马。衢州还有"黄巢山"、"黄公桥"等起义军的遗迹。

雄关胜景，也吸引过众多文人墨客。宋元以来，陆游、朱熹、刘基、徐渭、徐霞客等都曾来此游历。陆游诗曰："暂听朝鸡双阙下，又骑羸马万山中。重裘不敌晨霜烈，老木争号夜谷风。"

江郎山，简称江山，又名金纯山，在江山县城南50里。北宋《文苑御览》载："金纯山有三峰，悉数百丈，色丹夺目，不可仰视。"民间传说，从前，金纯山上有一作祟的花狗精，自称是经多年修炼的真仙活佛，骗取百姓信任，加害于人。从此，这一带便瘟病流行。三位江氏兄弟揭穿了狗精的伪装，并除掉了此妖，因此冒犯了天神，最后被点化为三块巨石。历代出现了许多咏此三峰的诗句。唐诗人张九龄《游江郎山访祝东山遗迹》诗云："攀跻三峰下，风光一草庐。今见墨浪壁，昔闻君子居。君子今何在，徘徊不能去。不见当年人，但闻声过树。"白居易诗云："林虑双童长不食，江郎三子梦还家。安得此身生羽翼，与君往来醉烟霞。"辛弃疾《江郎山和韵》云："三峰一一青如削，卓立千寻不可攀。正直相持无倚傍，撑持天地与人看。"

烂柯山在衢州城东南26里处，又名石室山、石桥山，道教将其列为第八洞天。过去有石梁、青霞洞、一线天、雁塔、宝岩寺、柯山石桥、日迟亭、集仙观等八景。而最使此山盛名远播的，是王质砍樵遇仙的故事。北魏郦道元《水经注》载："信安县有县室坂，晋中朝时，有民王质，伐木至石室中，见童子四人，弹琴而歌。质因

衢州烂柯山
青霞洞

第三编 富春江—新安江之旅

留，倚柯听子。童子以一物如枣核与质，质含之，便不复饥。俄顷，童子曰：'其归'，承声而去，斧柯然烂尽。既归，质去家已数十年，亲情凋落，无复向时比矣。"

又据县志和其他的典籍记载，王质所遇到的是两位对弈的老神仙。来此游历的谢灵运、孟郊、刘禹锡、陆游、朱熹、徐文长等，都以这一美丽的传奇为题材写下了脍炙人口的诗作。

朱熹曾在柯山书院讲过学，并为烂柯山上两棵千年古松题过"战龙松"三字。他曾有诗云："局上闲争战，人间任是非。空教乐樵客，柯烂不知归。"

孔氏第二圣地

衢州众多的古迹中，以孔氏家庙最为著名。孔庙遍及全国，但孔氏家庙，全国仅有山东曲阜和浙江衢州两处。

北宋末年，金兵南侵，宋都汴京（今河南开封）陷入敌手。徽、钦二帝被俘北去，宋高宗仓促南渡。孔子的第四十八代裔孙、袭封衍圣公的孔端友，负着孔子和亓官夫人的楷木像也离开曲阜南行，后定居于衢州。宋理宗宝祐三年（1255）敕建孔氏家庙，是为南宗（端友弟端操，在北京陷于金，被金太宗封为衍圣公，是为北宗）。此后，衢州被称为孔氏的"第二圣地"。

衢州孔氏家庙，占地约十亩。与曲阜孔氏家庙的规制一样，也

思鲁阁

德配天地
道冠古今
删述六经
垂宪万世

分孔庙、孔府两部分。

庙内思鲁阁上，奉孔子及亓官夫人楷木雕像。像高不落2尺，表面呈褐色。孔子长袍大袖，亓官夫人长裙垂地。阁下立有"先圣遗像"碑，相传是孔端友据唐吴道子稿本摹刻，碑额篆刻"德配天地道冠古今删述六经垂宪万世"十六个大字。阁内还立有一块当年衢州孔子家庙的平面图刻碑。刻碑和刻像都是孔氏家庙中的瑰宝。

明弘治初年，衢州孔庙始办孔氏家塾，当时专为培养孔子的后代而设，外姓人不准进学。清咸丰年间，改名为"承启家塾"。后又改为"孔氏中学堂"、"两等小学"、"完全小学"等。因孔子出生在山东曲阜尼山，最后改为"尼山小学"。改为小学后，外姓可入学，但不能享受孔姓待遇。清康熙时曾明文规定：西安（衢州）每次科举取士，至少须录取两名孔氏秀才，叫做"无孔不开榜"。

衢州孔氏家庙，已有七百多年历史。中经三迁三建和十多次修葺。现已恢复原先的壮观。

第四编 宁波—普陀山之旅

宁波

[山眉水眼古港口]

"水是眼波横，山是眉峰聚。欲问行人去哪边，眉眼盈盈处。才始送春归，又送君归去。若到江东赶上春，千万和春住。"宋王观这首《送鲍浩然之浙东》，道尽宁绍风光。

万里之舶　五方之贾

浙东重镇宁波，简称甬，地处全国海岸线的中段。四千年前，夏少康时代，宁波已有建制，属古扬州之域。春秋时为越国的一部分。秦始皇南巡，曾到宁波大蓬山驻跸。相传秦始皇派方士徐福率童男童女入海求仙药，即由此出发。宁波的海外航行与贸易也始于秦汉。当时，"邑中以其海中物产于山下贸易，因名鄞县"。唐时，因境内有四明山而称明州。明初，避国号"明"讳，改名宁波府，以府属有定海县，取"海定则波宁"之义，此名沿用至今。

《四明志》载："古鄞县乃取贸易之义，居民喜游贩鱼盐。"宁波有着悠久的商品经济的传统。唐时，我国对外贸易兴盛，明州与扬州、广州一起成为对外贸易的三大港口，"万里之舶，五方之贾"来此贸

易，"海外杂国，贾船交至"，"虽非都会，乃海道辐辏之地，故南则
闽广，东则倭人，北则高句丽，商舶往来，物货丰衍"。当时主要输
出的贸易品是青瓷。明嘉靖二年（1523），日本的两派贵族为争夺对
华商贸的特权，在宁波港内发生争斗，发展到洗劫宁波城，然后夺船
而走。此事件震动了朝野，朝廷撤销了宁波市舶司，禁止外船进港。
到清乾隆二十四年（1759），清廷进一步实行闭关自守政策，实行"海
禁"。鸦片战争后，1842年中英《南京条约》签订，宁波被辟为"五
口通商"的口岸之一，改变了海外贸易的性质。

"走遍天下，不如宁波江厦"

明清两朝的海禁政策，一定程度上限制了海外贸易的发展，束
缚了经济的繁荣。同时，这一措施也败坏了吴越故国的民风，造成
了走私贸易的兴起。但宁波民间的外贸并没有被海禁政策所扼杀。
这里逐渐出现了我国最早的一批近代工业。商业贸易、金融事业也
在艰难中缓慢发展了起来。当时的江厦街一带是商店、钱庄林立的
繁荣街道，当地谚语称："走遍天下，不如宁波江厦。"

我们可以从中国第一套中山装的诞生，看近代宁波人的开拓

精神。

　　宁波是中国"红帮"裁缝的故乡。"红帮裁缝"，形成并发展于中国的近代，是中国现代服装的开拓者，一百多年来，为中国服装的发展与进步，作出了不可磨灭的贡献。他们勇为人先，艰苦创业，陆续在日本横滨、长崎等地、京津地区和江浙沪商埠码头开设店铺，为外国人制作西装，生意十分兴隆。渐渐地，人们便把为"红毛人"（即外国人）做衣服的宁波裁缝称为"红帮裁缝"。

　　20世纪初，孙中山在日本经常与革命党人黄兴一起去横滨"红帮裁缝"宁波鄞县人张有松开设的同义昌西服呢绒店。由于孙中山在繁忙的政治活动之余，始终想设计一套能体现中国人精神风貌的服装，就把这一任务委托给张有松之子张方诚。张方诚当时在日本服装界颇负盛名。他根据孙中山的要求，采用西装的主体造型和精湛的工艺技术，精心设计缝制。最早设计的中山装为七粒钮扣，胸前两贴袋的袋盖为倒山形笔架式，称为笔架式，象征革命要重用笔

第一套中山装

211

杆子（知识分子）。孙中山把门襟上的七粒钮扣改为五粒，象征五权宪法。孙中山试穿后，认为这套服装简朴庄重，胜过西服，大为赞赏。他在就任临时大总统时就穿上了这套服装，在当时引起轰动，说孙中山穿出了国格，穿出了光彩。于是人们纷纷仿制，并把这套服装定型，称为"中山装"。

关于中山装的来历，另有说创制第一套中山装的人是奉化人王才运。无论是张方诚还是王才运，反正都是广义的宁波人。

中山装蕴含重视知识分子、五权宪法等先进思想和文化内涵。这套富有中国特色的中山装的诞生，为中国服装史平添了光辉的一页，也显示了近代宁波人勇于开拓勇于创新的精神。正是凭借这种精神，很多宁波人在海外获得了成功。

[宁波三湖]

宁波三湖指东钱湖、慈湖和月湖，皆为风景绝佳处。

"东湖谁信更清幽"

东钱湖位于宁波之东，因承受钱埭之水，故称东钱湖。这是浙江省最大的天然湖。湖呈不规则的斜长条形，面积为22平方公里。东钱湖有陶公钓矶、余相书楼、百步耸翠、霞屿锁岚、双虹落彩、二灵夕照、上林晓钟、芦汀宿雁、殷湾渔火、白石仙枰等十景。元人袁士元有诗云："尽说西湖足胜游，东湖谁信更清幽。一百五十客舟过，七十二溪春水流。白鸟影边霞屿寺，翠微深处月波楼。天然景物谁能状，千古诗人咏不休。"

东钱湖四周有许多古迹。最古老的是位于隐学岭的春秋时代的徐偃王墓。徐偃王是徐戎的首领，后徐戎为楚国所败，徐偃王逃到宁波，死后就葬在这里。

陶公山，据说是春秋末年越国大夫范蠡功成引退后隐居之处。范蠡晚年曾从事经商活动，改名陶朱公。东钱湖十景之一的"陶公钓矶"，就是他当年垂钓的地方。

据传，晋时东钱湖周围地区常受旱涝之灾，当时有百姓十八人领头修浚此湖，却被奸臣诬为结伙谋反而被杀害。后人在湖畔建十

八裴君庙以纪念。唐天宝时，县令陆南金对东钱湖重加开拓。北宋时，太守李夷庚积万金组织重修，故此湖又有万金湖之称。湖畔有李陆二公祠。

宋庆历八年（1048），王安石任鄞县知县，他发动百姓重整湖界，疏浚水道，使东钱湖有灌溉、航运、水产诸利。人们建造了王安石庙，纪念其功绩。

在霞屿锁岚景点有一石洞，洞口刻"补陀洞天"四字。史载，南宋宰相史浩之母多次去普陀进香，后双目失明不能再往，史浩遂命人凿此洞以借普陀，故称"补陀"。

慈湖月湖多名士

慈湖在慈城镇北隅，唐肃宗时开凿，至今已有一千多年的历史。

慈湖三面环山，湖心堤隔湖为二，景色清幽。山上有宝峰寺、朱贵庙。鸦片战争时，民族英雄朱贵率部属数百人与敌死战，壮烈牺牲在此山上，后人为之设庙祭祀。

慈湖因在阚峰之下，也曾名"阚湖"。阚峰则是因三国时著名数学家、吴尚书阚泽居此而得名。《三国演义》载，阚泽家贫好学，为人做佣工，常借人书来看，过目不忘。他有口才且富胆略。黄盖欲派他送诈降书给曹操，阚泽欣然应允曰："大丈夫处世，不能立功建业，不几与草木同腐乎！公既捐躯报主，泽又何惜微生！"在曹营，

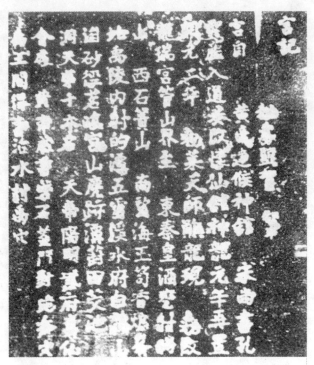

阚泽面对曹操的严词诘问，从容对答，终使曹操中计。后人在慈湖建阚相祠，遗址犹在。慈湖北岸，原有其故居遗址。

传说"慈湖"是南宋学者杨简根据董黯事迹命名的。董黯是中国古代二十四孝中的人物之一。杨简则被后世称为"慈湖先生"。

月湖在宁波城西南隅。宋时太守刘珵浚治湮塞，补葺度坠，遂成柳汀、雪汀、芳草洲、芙蓉洲、菊花洲、月岛、花屿、竹屿、烟屿等十洲。地方志载，月湖四时景致不同，而仕女游赏，特盛于春夏，飞盖成荫，画船漾影。

史载，唐朝诗人、"四明狂客"贺知章，曾在月湖隐居、读书。后人在此建逸老堂和贺秘监祠以资纪念。今已在柳汀原遗址上将"贺秘监祠"修缮如旧。祠内西厢房一块石碑上篆刻着中国家喻户晓的名诗："少小离家老大回，乡音无改鬓毛衰。儿童相见不相识，笑问客从何处来？"贺知章这首诗究竟是指回到会稽鉴湖还是明州月湖，两地时有争执，就让它成为一个美好的千古之谜吧。南宋时为岳飞申冤昭雪的丞相史浩也曾在月湖居住。宋著名学者杨简，曾在芳草洲兴学校、教生徒，现芳草洲上仍留有遗址。明末张苍水亦在月湖留下足迹。

[宁波三寺]

宁波的天童寺、保国寺和阿育王寺，以其幽雅的风景、雄伟的建筑和浓厚的佛教文化色彩而闻名。

"东南佛国"天童寺

天童寺地处太白山麓。王安石诗云："村村桑柘绿浮空，春日莺啼谷口风。二十里松行欲尽，青山捧出梵王宫。"

据寺志载，西晋永康元年（300），僧义兴云游至此，爱此山水，遂结茅修持。当时，附近无人烟，仅一童子日来供其薪水，久之，始

太白山图
元
王蒙

成精舍。童子遂辞去，曰："因师有道，感动玉帝，命我太白金星化为童子，前来护持左右。现在大功告成，我今返去。"言讫不见，寺因此称天童，山名太白。

天童寺为"天下禅宗五山"之一，享有"东南佛国"之称。南宋以来，这里名僧辈出。住持天童约三十年的僧人正觉，曾倡导"默照禅"，其《宏智禅师广录》即在天童寺作成。日本名画僧雪舟曾任天童寺首座。日本佛教临济宗的创始人荣西，曾两次来此求法。日本佛教曹洞宗的开山祖道元禅师，也曾从天童寺洞山第十三代祖如净求法。日本曹洞宗八百万教徒尊天童寺为其祖庭。

作为一座佛教寺院，天童寺规模宏大，庄严古朴。寺内殿堂屋宇最盛时曾达 936 间，内有万工池、奎焕阁、七塔苑、藏经阁、天王殿、佛殿、法堂、罗汉堂、钟楼、御书楼、御碑亭等建筑。

传说天童寺的香火曾惊动雷公雷婆。他们见弥勒佛在凡世享受如此朝拜，非常嫉妒，便鼓动起小龙王，刮起暴风恶雨，冲毁了许多庙宇，后被太白金星制服。雷公的雷鼓滚到太白山玲珑峭壁上，成了太白山上的"神仙响鼓"，至今扣之有声。雷婆的闪电镜摔成两瓣，变成了"双镜池"。小龙王则因无颜再回东海龙宫，便长驻在太白山。据说，太白山香火兴旺之时，常会有毛毛细雨飘来，便是小龙王还在发泄余恨。

阿育王寺和保国寺

阿育王寺在宝幢鄮山之麓。相传，晋时有一位名叫阿萨诃的人，从地下挖出了一座青色小塔，"高一尺四寸，广七尺"，塔刹是五重相轮，塔的四周都有雕刻。塔内有悬钟，里面藏着舍利，为一暗红色小珠，因窥视角度不同，会发出红、黄、灰、黑等不同色彩。据说这座塔是阿育王所造的八万四千塔之一，里面藏着释迦牟尼的舍利，佛教徒以此来定吉凶、卜休咎。东晋义熙元年（405），安帝敕令就地建亭供奉此塔，令僧人守护。明代赐名为阿育王禅寺。

阿育王寺占地 8 万平方米，建筑面积 1.4 万平方米。殿、阁、楼、塔掩映于绿荫之中。据史料载，唐代高僧鉴真应日本僧人邀请，先后四次东渡日本，均未成功。第五次东渡时，在舟山群岛遇险。明

阿育王寺
宝箧印经塔

州太守派人救出鉴真一行，曾安排在阿育王寺居住。

保国寺在灵山的中部，整个庙宇隐在青枫丛林中，不达山门不知有寺。正如诗云："兰若隐云端，莺回路百盘。"

灵山，又称骠骑山。相传东汉时，骠骑将军张意之子、中书郎张齐芳曾隐居于此，故名。后有人在山上建寺，名灵山寺。唐时重建，改名为保国寺。

保国寺以其"无梁殿"而闻名。无梁殿建于北宋大中祥符六年（1013），至今已有近千年，是已发现的江南地区最早的木结构建筑，也是我国保存最好的木结构古建筑。前人咏赞无梁殿："山岙藏得古招提，宫殿岿然结构奇。"

| 梁山伯庙 |

[彩蝶双双飞千秋]

宁波一带有句谚语："若要夫妻同到老，梁山伯庙到一到。"还有一首歌谣："梁山伯庙去烧香，拜拜多情祝九娘；少年夫妻双许愿，

217

不为蝴蝶即鸳鸯。"

梁圣君庙，即梁山伯庙，在宁波鄞县高桥乡邵家渡。庙内有梁山伯塑像和梁祝二人木雕像。旁有楹联："功于国，泽于民，循使享明烟，溢义溢忠宗庙貌；生同师，殁同穴，良朋完夙契，有信有别正人伦。"

梁山伯与祝英台的传说，是中国民间四大传说之一。有人称二人为"东方的罗密欧与朱丽叶"。故事形成约在东晋时代。祝英台女扮男装与梁山伯同窗共读三年，感情深厚。祝回家前，向梁托言为妹妹媒而许婚。后祝父将英台另嫁，英台抗婚不从。两人先后殉情而死，死后化为一对蝴蝶。据《大观四明图经》及《义忠王庙碑记》载，梁山伯为东晋时会稽人，名处仁，字山伯。在赴钱塘求学的途中，与上虞学子祝信斋邂逅相遇。到钱塘后，又同学三年，互引为知己。祝因思亲而先行返乡。两年后，山伯往上虞访祝，方知信斋为祝家九娘英台女扮男装，山伯怅然，与祝吟诗饮酒而别。返家后请父母延媒求婚，而祝已被许配马文才。山伯闻之黯然神伤。后出为鄞县令，因积忧成疾而逝。第二年，祝英台嫁马文长，自上虞乘舟西下，舟经墓所，因汛涛不能前。英台闻有山伯墓，临冢哀恸。顷刻，地忽裂，英台人。

据载，梁山伯任鄞县令期间，清正廉洁，为百姓做了不少好事。晋安帝时，封山伯为义忠王，"令有司立庙"。"民间凡旱涝疫疠，商旅不测，祷之，辄应。"宁康三年（375），丞相谢安请封英台墓为义妇冢。

传说，宁波风味小吃汤团与梁山伯有关。有位卖红枣和酒酿圆子的小商，去梁山伯庙赶庙会。梁山伯托梦与他，叫他卖猪油汤团，并指点他如何招徕顾主。从此，这位小商的生意兴隆起来，宁波汤团也名扬四方。

又传说，明末，宁波人抗击倭寇侵扰。某夜，忽有一支队伍前来助战，他们的马前高悬写有"梁"字的灯笼。倭寇溃败而走。百姓都以为是山伯显灵神助。

全国托名梁祝遗址的地方不下九处，浙江杭州、江苏宜兴和山东曲阜都有"梁祝读书处"，传说中他们的墓址有河北林间、山东嘉祥、江苏江都、甘肃清水、安徽舒城、江苏宜兴及宁波七处，但有墓有庙的，只有宁波一处。也只有宁波的梁祝墓是双墓双碑，人称蝴蝶碑墓。这两个墓原由一条小径相隔，后来修墓时，终于合而为一。当地人说，墓中时常飞出成双成对的彩蝶。此墓在唐代《十道四蕃志》和宋代《乾道四明图经》均有记载。1997年经考古发掘，果然发现一座晋代古墓。从出土的钱纹砖、女佣背子、墨釉席纹四系罍等看来，很可能确是梁祝之坟。此地现已建梁祝文化公园——全国惟一的爱情主题公园。其点睛之笔是出口处的"夫妻桥"，含义正紧扣当地民谚："若要夫妻同到老，梁山伯庙到一到。"

| 天一阁 |

[文化地图上的亮丽风景]

在宁波月湖之西，有一座古朴的建筑。它就是明代嘉靖四十年（1561）范钦兴建的有"江南书城"之誉的天一阁，是我国现存的最古的藏书楼。

除了天一阁以外，代表性的藏书楼还有：建于乾隆年间仿天一阁的杭州文澜阁、建于清乾隆年间的余姚梁弄黄氏五桂楼、建于道光年间的海盐蒋氏西涧草堂、建于光绪年间的瑞安孙氏玉海楼、建于民国初年的宁波冯氏伏跗室及湖州南当的刘氏嘉业堂等。它们成为江南明清文化地图中一道极为亮丽的风景线，对江南地区和整个国家的文化建设作出了不可磨灭的贡献。

　　书籍是文化的载体，也是文化发展的一个标志。浙江藏书历史悠久。藏书成为文人雅士的一大爱好。据今人吴晗统计，自晋至清，浙江私人藏书家达359人，藏书楼有名可稽的就有180处。然而，由于水火兵燹等种种原因，真正能够"藏之久而不散"者，却是寥如晨星。黄宗羲就曾在《天一阁藏书记》中感叹："读书难，藏书尤难，藏之久而不散，则难之难矣！"因此，天一阁堪称中国文化史上的一颗明珠。

　　范钦被后人尊称为"范司马"，这位明嘉靖年间的进士，足迹遍及半个中国，最后官至兵部右侍郎。他为人耿直，曾顶撞过权倾朝野的武定侯郭勋，蒙受冤狱，遭廷杖之罚。后又因秉公执法而得罪过权臣严世蕃。但最让范钦青史留名的，却应数他遗留给后世的这座藏书楼。《鄞县志》记载，范钦"性喜藏书，起天一阁，购海内异本，列为四部。尤善收说经诸书及先辈诗人集未传世者。浙东藏书家，以天一阁为第一，有功文献甚大"。

　　范钦爱书成癖，每到一地，总是多方搜访当地之古籍，尽力收购，或雇人钞录。他的藏书有不少得之于当时另一位藏书家丰坊的万卷楼。著名学者王世贞与范钦互相仰慕，相约互钞书籍。范钦因此增加了不少钞本，最后藏书数达七万余卷。

220

范钦的藏书处原名"东明草堂"，天一阁是他辞官归里后辟建的。据清学者全祖望记载，建阁之初，曾得吴道士龙虎山天一池石刻，范钦大喜，以为正合《易经》中"天一生水……地六成之"之意，于是即以"天一"为阁名。楼前是天一池，蓄水防火。阁分上下两层，上层藏书处是一大通间，中间隔以书橱；下层六间，如此设计，暗含"天一地六"。天一阁的声名远播，连那位下诏编修《四库全书》的乾隆皇帝，也"不耻下问"，命人前来索取图样，仿天一阁的构式，兴造文渊阁、文津阁、文澜阁等南北七阁。

当然，天一阁能够垂世四百余载，其主要原因是范钦及其后人严密的保护措施。阮元曾记载，天一阁"阁前略有池石，与阛阓相远，宽闲静阒，不使持烟火者入其中，其能久一也"。藏书楼远离住宅，又有严格的防火措施，使天一阁免遭火灾。而中国古代藏书楼毁于一炬者，是不可胜数的。钱谦益的绛云楼就是一例。曹溶《绛云楼书目题辞》中记载：某日"其幼女中夜与乳媪嬉楼上，剪烛炔，误落纸堆中，遂燃。宗伯楼下惊起，焰已弥天，不及救，仓皇走出。俄顷，楼与书俱尽"。

范钦及其后人为保护好藏书，制定了一些具体的禁约。例如：禁以书下阁梯，非各房子孙齐至，不开锁。子孙无故开门入阁者，罚不与祭（即参与祭祖）三次；私领亲友入阁及擅开书橱者，罚不与祭一年；擅将藏书借出外房及他姓者，罚不与祭三年；因而典鬻者，

天一阁

人间庋阁足千古，
天下藏书只一家。
——阮元

第四编 宁波—普陀山之旅

永摈逐不与祭。

范钦的侄子范大澈性喜读书，"月俸所入，辄以聚书"，还精于识别版本，初版、原版、膺本、纸质的优劣能一眼识破，时人称其"怪雅异集"。他到天一阁借书，常遭拒绝。于是发愤搜集海内异书秘本，建"西园""卧云山房"以藏书。每得一奇书，便备酒宴，邀叔父前来观赏。范钦每见侄子购到天一阁所无之书，则羡慕之至，爱不释手，常"默然而去"。真是两代"书痴"！

如此"书痴"当然不仅限于范姓。民间流传的这则故事，主人公就是一位钱姓女子：嘉庆年间，宁波知府的内侄女钱绣芸闻天一阁藏书甚丰，兼藏芸草一本，色淡绿而不甚枯，三百年来书不生蠹。这位嗜书的女子心中神往，遂绣芸草数百本，托太守为媒嫁与范氏后裔范邦柱，以求能登阁观书，并一见芸草。不料族规禁止妇女登阁。钱绣芸因此忧郁得病，含恨以终。临终前央求丈夫："君如怜妾，死葬阁之左右，妾瞑目矣。"

史志记载，第一个开了阁禁的是浙东学派创始人黄梨洲（宗羲）先生。因为梨洲先生的道德、文章受到时人的敬仰，范氏各房准许

222

他登上了书楼。他读到了不少奇书异本，并"取其流通未广者钞为书目"。此后一二百年中，得幸登阁的著名学者，有万斯同、徐乾学、全祖望、钱大昕、阮元、薛福成、缪荃孙等十余人。

今天我们读到清阮元"人间庋阁足千古，天下藏书只一家"的楹联，情不自禁地还会想到嘉惠后人的藏书家范钦，想到继承其业绩的范氏后人，以及天一阁几百年来艰难的历程。相传，范钦晚年与书阁为伴，一直活到了八十三岁。临终时将家产分作两份，一份是天一阁全部藏书，一份是万两白银，儿子大冲选择了天一阁的万卷藏书，并且发展了父业。天一阁传到范钦的八世孙范懋柱手上，正值乾隆皇帝为编纂《四库全书》而下诏采访天下遗书，其中点到了天一阁。范懋柱进呈的 638 种珍贵古籍，后来并未如数发还。以后的岁月中，天一阁又饱经劫难，到 20 世纪 50 年代初，仅存藏书一万三千余卷。

|河姆渡文化遗址|

[七千年前的鱼米之乡]

1973年余姚县为了使境内地势低洼的稻田旱涝保收、稳产高产，决定在河姆渡村北隅大搞农田水利基本建设。当挖到地下三米多深的地方时，发现了一批夹炭黑陶、建筑木构件，并伴随有大量的古

河姆渡文化遗址

河姆渡出土建筑构件

动物骨骼。面对这些稀世罕见的陶片、兽骨，人们感到诧异和惊奇。出于保护文物的强烈责任感，他们立即向上级作了汇报。文物主管部门即刻派出专人前往察看调查，确认为一处古文化遗址，这就是后来真迹震惊世界的河姆渡文化遗址。河姆渡文化年代在公元前5000至公元前3300之间，是我国长江流域著名的新石器时代遗址，与黄河流域的裴李岗文化南北遥遥相对。在古文献和人们的传统观念中，先秦之际的长江流域及南方地区是一片蛮荒之地，黄河流域才是中国文明的摇篮。河姆渡遗址以其丰富的文化遗存无可争辩地说明长江下游同样拥有先进的原始文化，和黄河流域一样是中国文明的发祥地。河姆渡遗址以其悠久的历史和鲜明的特征被人们誉为"七千年前的鱼米之乡"。

当时的河姆渡地区气候温热湿润，雨量充沛，河网密布，气温比现在要高。流行干栏式建筑，以木柱为基础，再以绑扎和先进的榫卯的办法在上面搭建房子。出土的木构件形式多样、结构复杂、精巧灵活，有科学受力的榫头和卯孔。双层榫头、燕尾榫、企口板、垂直双卯孔转角柱的发明、哨钉的出现，都说明河姆渡人木作工艺技术达到了相当高的水平。这种建筑既可防虫蛇猛兽，又可避潮湿水害，下面还可以豢养家禽家畜，因此历数千年而不衰。时至今日，在我国西南的一些少数民族聚居区，仍可见这种古老的建筑形式。

在河姆渡遗址中出土了百余件这种器物，用鹿、水牛的肩胛骨加工制成，由于其形状类似后代翻耕土地时所用的锸，故有人认为是挖土深耕的农具，并命名为"骨耜"。河姆渡文化也因此被认为脱离了刀耕火种，进入了"耜耕农业"的高水平阶段。最近有学者指出骨兽制品根本无法挖开吴越一带的黏土，因此可以说，所谓"骨耜"其实只是用来平整土地和除草、壅土的工具。先前对河姆渡文化农业水平的估计，似乎过高了。无论怎样，骨耜仍是河姆渡文化最具代表性的农具。

河姆渡文化是最早的人工栽培稻的文化体系之一，当时的河姆渡人已经开始栽培农业。在遗址中400多平方米的范围内，竟有堆积厚度高达50—80厘米的稻谷遗存。出土时稻杆、稻叶、稻谷和秕谷色泽如新，外形完好，有的连稻谷上的隆脉、稃毛都清晰可见。有

河姆渡出土骨耜

河姆渡出土木胎漆碗

的学者曾推断稻谷总量当在120吨以上，这是个非常惊人的数字，堪称全国第一，世界罕见。遗址出土的稻谷遗存都已炭化，颗粒大小接近现代栽培稻，粒重更远远超过野生稻。经鉴定，为稻籼亚种中的晚稻型，被确认为是亚洲最古老的稻作遗存，不愧为"七千年前的鱼米之乡"。

　　河姆渡遗址的陶制器皿特征鲜明，四个文化层分别有数量不等的泥陶出土。有一种夹炭黑陶，胎含大量炭晶粒，用的是植物茎叶碎末、谷壳等作羼和料，胎质疏松，硬度较低，从一到四期夹炭黑陶逐渐减少，夹砂陶逐渐增加，并占据了优势。

　　在河姆渡文化中还出土了这样的蝶形器，为象牙雕刻，刻的是异常精美的双凤朝阳纹。

　　另外，在河姆渡一期遗址中也出土了一件鸟形象牙圆雕，该鸟很大程度上和双凤朝阳纹上的双鸟形象类似。显然这些都是对同一

226

鸟类的真实描绘。古文所载之凤其实就是鸡，这一点在古文献上有清楚的记载。《山海经》："丹穴之山……有鸟焉。其状如鸡，五彩而文，名曰凤凰。"《说文》："鸡，知时畜也。"《孝子传》记得更加直白："舜父夜卧，梦见一凤凰，自名为鸡。"那么凤为什么和太阳形影不离呢？在古人的心目中，鸡和太阳是不可分的。日出鸡鸣，鸡鸣日出。先民认为太阳引出了鸡，或鸡唤来了太阳，二者互为因果，彼此不分，鸡便是太阳，太阳便是鸡，即"以类相感"，西方人称之为"原始思维互渗律"，这也是人类童年的普遍特征。鸡迎着太阳昂首啼鸣，先民在黎明时分就听见鸡鸣报晓，于是新的一天开始了，日出

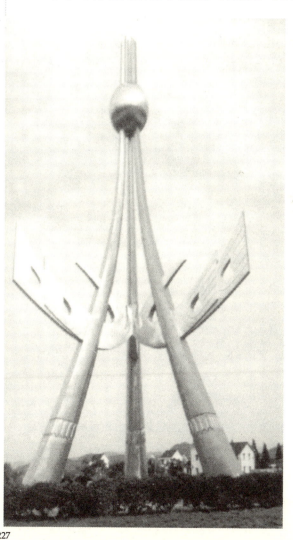

而作，日落而息。靠了太阳先民得以生存和繁衍；靠了鸡，先民准时去田间劳作获得好的收获。先民把这一切都归功于太阳和鸡，于是自然而然地就产生了对二者的崇拜。

在河姆渡遗址上，现已建成河姆渡遗址博物馆。

|新 昌|

[浙东重镇]

新昌处于天台山、四明山、会稽山环抱之中，自古是文人名贤云集之地，四方往来通商要道，浙东重镇。唐代大诗人白居易云："东南山水，越为首，剡为面，沃洲天姥为眉目。""沃洲""天姥"两山均在新昌县境内。东晋以来，支遁等"十八高僧"、王羲之等"十八名士"长期在此隐游。李白"自爱名山入剡中"，杜甫则对剡溪"欲罢不能忘"。剡中古道素有"唐诗之路"的美称。

流光溢彩唐诗路

一千多年来，众多文人墨客被这条路上千岩竞秀、万壑争流、村野牧歌、清流舟筏的景色所陶醉，一路载酒扬帆，击节高歌，留下了大量脍炙人口的名篇佳作。

远古剡地，据史料载，自新石器时期就有人聚居、垦植繁衍，有夏禹率众挖河引水、改善原始生存状况之传说。至西汉景帝四年（前153）置剡县，属会稽郡。在汉明帝时，又广传剡人刘晨、阮肇上山采药遇仙之说。西晋末期，中原连年战乱，北方士族名家仰慕剡地僻静、民风纯朴、物产丰富和山水秀丽而纷纷来剡游憩定居、讲学著述、赋词作画。晋时先有十八高僧之首西天竺僧帛道猷结庐瞻山，后有博学精深的高僧竺法潜、支道林、支道开、竺昙献等游憩剡地。东晋永和十一年（355），书圣王羲之携子由会稽迁居剡地金庭，终老瀑布山。永和升平年（345—361），生性高洁、不乐仕途的戴逵也携子戴颙页入剡定居。据《剡录》载：二戴曾在此著《五经大义》、《老子音》、《中庸传》等。南朝宋景平元年（423），我国第一位旅游

層岩叠壑図
清
髡残

第四编 宁波—普陀山之旅

家、开创山水诗先河的谢灵运,辞官隐居剡溪口,作《山居赋》,赋中写到"且发清溪阴,瞑投剡中宿"。"山不在高,有仙则灵",这些名人高士与剡溪山水相融合,使剡地早在唐朝前就成为"六通之胜地,八辈之奥宇"的灵地。

至唐,慕仰剡地山水、求贤访古之风更盛。当时从水路乘舟是入剡的主要交通方式。在《全唐诗》收载的2200余位诗词作者中,就有312位颇有声望的诗人先后入剡,留下数百首诗词。唐开元年间,大诗人杜甫游历剡地4年之久,在其写的自传体长诗《壮游》中,对剡地颇多留恋。唐天宝元年(742),大诗人李白从古镇镜湖(今鉴湖)月夜乘舟溯剡溪而上,实现了其"我欲因之梦吴越,一夜飞渡镜湖月"之宿愿。后在《秋下荆门》诗中又言"此行不为鲈鱼脍,自爱名山入剡中"。李白一生曾三次壮游入剡,留有诗词26首。在他最著名的《梦游天姥吟留别》中,也有"谢公宿处今尚在,绿水荡漾清猿啼"句,表达了对剡地的留恋。唐代另一位大文豪崔颢也曾数次入剡,在《舟行入剡》一诗中赞美剡地的风光:"鸣棹下东阳,回舟入剡乡。青山行不尽,绿水去何长。"更缅怀当年居剡的谢灵运、支道林:"谢客文逾盛,林公未可忘。"诗人裴通在《金庭观晋右军书楼墨池记》中称:"越中山水奇丽,剡为最;剡中山水奇丽,金庭洞天为最。"唐诗人刘长卿游剡东,有诗赞叹四明山之高、四明窗之奇:"……苍岩依天立,覆石如覆屋。玲珑开窗牖,落落四明目。"诗人们或顺流而下,或逆流而上,或单骑仗剑壮游,或淡泊红尘、偷闲山水隐游,还有爱而未到的神游,组成了一条内涵丰富的旅游风景线。据统计,曾有"苏李"、"沈宋"、"鲍谢"、"温李"、"元白"等400多名诗人在此盘桓、酬唱过。

自唐以后,历代名人贤士访剡写诗作画、著书立说也十分丰富,有据可查的名胜古迹有多处。"唐诗之路"堪称华夏山水文化宝库中一颗耀眼的明珠。

南明山上大佛寺

大佛寺在新昌西南的南明山上。东晋时,昆山僧昙光来此山游方,喜翠峰苍郁,景物幽奇,遂栖宿于山南石室之中,后在此结茅

庐，筑僧寺，取名隐鹤寺。不久，高僧于法兰、支遁等也来此，又续建了元化、栖光两寺。梁朝时，三寺合而为一，定名为"石城寺"。

大佛寺的弥勒佛，由悬崖峭壁的石窟中开凿而成，主持造像的是僧护、僧俶、僧佑3人，历经3代，约30年时间，故世称"三生石佛"。大殿上现还挂有"三生圣迹"的匾额。寺西北的"千佛院"内，有石像千尊。附近还有智者大师塔遗址、放生池、濯缨亭、隐鹤洞、锯开岩、摩崖石刻，及宋代书法家题"面壁"和朱熹题"天柱屹然"等古迹。

传说当年这里原是万丈深渊，有位老法师游方至此，制服了一条伤害百姓的小龙，龙身变成了岩山岩洞。后来，法师的徒弟帛僧光和尚遵师嘱在此凿佛像建寺院。他们打算在小龙所化的岩石上雕凿菩萨。入夜，他们正在迷迷糊糊的睡梦中，忽闻阵阵磬声，循声走到南明、石城山谷间，见万丈深潭之中，映着一个坐佛的影子。于是他们决定在潭边的岩壁上，照此影凿像。可是，岩石特别坚硬。帛僧光采纳南明山神的计策，向龙王索要了龙油，用来淬钢钎和斧子。然后帛僧光举起斧子，劈向千尺青岩壁，岩石应声而裂。帛僧光终于劳累而死。后人把帛僧光用斧子劈开的岩石叫做"试斧石"。

帛僧光第二次投胎做人，又到大佛寺，继续前世之业。一天，他走出山门，见两个小孩用一根结起来的稻草芯，锯大路边的岩石，便问："乖孩子，稻草芯也能锯开岩石儿？"孩子们同声说："只要大家有恒心，巨岩也怕稻草芯！"接着又锯起来。这块岩石被后人称为"锯开岩"。帛僧光从孩童们的举动受到鼓舞，坚持凿像，直到去世。

帛僧光第三世在大佛寺为僧时，一如既往地开凿石像。他的行为终于感动天神。天神派了一千个天兵天将下凡帮助他。没多少时间，石弥勒像和十八罗汉像就雕成了。天兵天将们爱上了人间，不愿返回天庭。他们化成了一个个小佛，坐化在石窟内的壁岩上。这就是后来的"千佛洞"。因此，凡到大佛寺拜佛的人，都先礼敬千佛洞菩萨。

天姥梦幻

"海客谈瀛洲，烟波微茫信难求；越人语天姥，云霓明灭或可睹。"唐代诗人李白在《梦游天姥吟留别》诗中，以虚衬实，描写了一幅浮云彩霓中时隐时现的天姥山胜景，表现了诗人对天姥山的向往。此诗广为人们传诵，天姥山的名字便遐迩皆知了。

天姥山临近剡溪，传说曾有登山者听到仙人天姥的歌唱，因此得名。

民间另一则传说则云，盘古帝开凿天地时，为了天上地下能够互通，便造出一座高山为梯。地上人听说天上好风光，纷纷上天观光。盘古担心上的人多了，天会塌下来，就用斧头把梯子削成一根柱子，这样，上天就难了。但地上的小伙子依然能由这根天柱攀援上天。每逢年节，地上的母亲们惦念天上的儿子，于是拿着麦饼，赶到天柱下，喊着各自孩子的名字。孩子听到娘叫，就下来接麦饼。有的母亲受不了离别之苦，也往天上爬，结果坠落伤亡者甚众。一时间，天上人间哀声一片。盘古便索性砍断了天柱，天地裂开了。逢年过节，做娘的仍忘不了天上的孩子，就爬到山顶上，给孩子们送吃的。在天上的孩子，见到母亲，就声声呼唤"姆妈"。

人们因此把这山叫做"天姆山"。后因"姆"与"姥"同音，此山又被称为"天姥山"。

|蒋介石故居|

[溪口有意　历史无情]

　　蒋介石的故乡溪口镇，是一个建置千余年的山乡古镇，地处浙江省奉化市西北，四明山南麓，宁波的西南方向。因镇东有一武岭横亘南北，也称武岭镇。

　　溪口风景，主要有武岭门、文昌阁、小洋房、丰镐房、玉泰盐铺、蒋母墓和毛氏墓等景点。这些景点都记载着与蒋家有关的故事。

　　武岭门作为溪口镇的门户，扼居溪口的咽喉，相传在1929年前还是一座小庵堂。1929年蒋介石将这里改造成二层中西合璧的城楼建筑。雉堞围环，门楼飞檐，古色古香，气派不凡。东、西楼阁"武岭"匾额，一为国民党元老于右任手笔，一为蒋介石自题。将此取名"武岭"的原因有二：其一蒋介石崇尚武德；其二，"武岭"为陶渊明《桃花源记》中"武陵"的谐音。进武岭门后的三里老街便是蒋介石的故里。

　　武岭门右边的武岭学校，是蒋介石于1929年耗资20万银元创办的。该校占地90余亩，布局疏落有致，绿树成荫，其中古樟4棵甚为名贵，环境十分清幽。特色独具的大礼堂外观堂皇，装饰精致，具民国建筑风格。东首第一间是校长办公室，蒋介石自兼校长。礼堂一角的"武岭学校奠基"为蒋介石所题。楼上是蒋介石接待国民党高级官员住宿的地方。礼堂东首巨岩上"武岭幽胜"四个大字为蒋介石手书，岩下水泥平台，是其晨昏读书和休闲之处。值得一提的

于右任题写的
"武岭"

第四编　宁波—普陀山之旅

是，蒋介石的原配、蒋经国的生母毛福梅的墓地就在校园的中央。这是一个圆形的黄土坟，四周用石砌成，坟的正面是国民党元老吴稚晖手书的"显妣毛太君之墓"的墓碑，落款处题有"男经国敬立"字样。

文昌阁初建于清雍正九年（1731），1924年蒋介石以黄埔军校校长身份回乡扫墓时，见其楹栋欹斜，遂令动工重建，造成两层楼房，为其私人别墅和藏书楼。蒋介石为其取名"乐亭"，并作《武岭乐亭记》："余以其位在山水之间，凡远方同志来游者，莫不徘徊依恋而不忍舍，盖无间乎仁与智，皆有乐于此也，乃取其义而名之曰：乐亭。"乐亭为宫殿式建筑，雕梁画栋，花格窗棂。四周环绕有香樟、黄连木、侧柏、朴树等古木，浓荫蔽日；下临一碧剡溪，波光潋滟。此处清代已列为溪口十景之一，名"奎阁凌霄"。

小洋房名涵斋，位于乐亭东侧，紧邻溪口水面。小洋房始建于1930年。西式三开间两层平顶楼房，背靠山坡，与乐亭有露天走廊相通。右侧溪岸设水泥平台，供游泳跳水用，称"跳水台"。此处碧波荡漾，隆冬不冰，称"武潴浪暖"。1937年，蒋经国自苏联留学归国曾在此读书。蒋介石的笔杆子陈布雷也曾居于此写《西安半月记》，该书记述了蒋氏在西安事变中的经历。

据说涵斋和乐亭风水极好，呈"伏龙吸水"之势，可得天地之助。蒋介石发迹后，每年都要在清明和自己的生日回溪口住在这里，几次下野也都到此隐居。

沿溪口镇街西行至中街，见一临街华屋，便是蒋介石故居丰镐房。丰、镐是西周国都丰邑、镐京的简称，丰镐房的命名是从蒋经国和蒋纬国的小名建丰和建镐中各取一字合成的。现丰镐房为1929年蒋介石回乡扩建而成。丰镐房中堂名报本堂，神龛内供奉蒋介石曾祖以下四代牌位。"报本堂"横匾系国民堂元老吴敬恒（稚晖）手书。两边楹联是蒋介石所书："报本尊亲是谓至德要道；光前浴后所望孝子顺孙"。堂前檐下有蒋介石题"寓理帅气"匾及跋文，系1949年4月15日蒋介石为长子经国40岁生日所书。跋文曰："每日晚课，默诵孟子'养气'章。十五年来，未尝或间，自觉于此略有领悟。又常玩索存心养性之'性'字，自得四句曰：'无声无臭，惟虚惟微，至善至中，寓理帅气。'为之自箴；而以寓理之'寓'字，体认深切，引以自快，但未敢示人。今以经儿四十生辰，特赞此'寓理帅气'以代私祝，并期其能切己体察，卓然自强，而不负所望耳。"东厢房楼上曾为宋美龄卧房。

1939年11月12日，六架日军飞机专程轰炸溪口，乐亭及小洋房、丰镐房皆被击中。蒋氏的原配即蒋经国之母毛福梅惨死在日寇的炸弹下，当时在赣州的蒋经国听到噩耗，立即昼夜兼程，赶了两天两夜回到溪口。见到母亲惨状，当即手书"以血还血"四字，并刻石立于丰镐房毛氏殉难处。出丰镐房，西行至中街，临街有一石库门院落，门额上书"清庐"两字，墙基界石上书"玉泰盐铺原址"，为蒋介石亲题。蒋介石祖父蒋玉表、父亲肇聪（即肃庵）曾在此经营粮、盐、酒、杂生意。据蒋介石宗谱记载，清光绪十三年（1887）九月十五日蒋介石即出生于此屋楼上。

蒋母墓道离镇三里。墓地正门有高6.5米、宽7.9米的三门石牌坊，中门上刻"蒋母墓道"四个大字。从石牌坊到坟墓，依山坡而筑一条长668米的卵石路，夹在一片松林之中。进石牌坊走约300米，有一跨路亭，形若古代书生的方巾帽。据说蒋介石回乡祭母，每次到此下轿步行而上，故被称为"下轿亭"。过亭往上再走约200米，横在途中有一座12间平房的墓庐，头门刻有"墓庐"二字，二门题额"慈庵"。屋内墙上挂有蒋母遗像，上有汪精卫题字。屋内有一石碑，正面是孙中山的《祭蒋太夫人文》，背面为于右任所书《蒋太夫人事略》，左右两边分别是《哭母文》和《慰劳蒋总司令文》。左边一个两室套间为蒋介石回乡居住之处。1936年12月西安事变后，他在此养伤百110多天。

过慈庵前行即至蒋母墓。墓碑正面刻着孙中山题的"民国十年蒋母之墓"，上面扇形围栏刻有"壶范足式"四字，意思是女中模范，足为榜样。两边石柱刻有一副蒋介石自撰的对联："祸及贤慈，当日顽梗悔已晚；愧为逆子，终身沉痛恨靡涯"。这大概是蒋介石对其童年生活的自省。蒋介石少年时期曾经顽劣成性，狂态不可一世，经常到处惹是生非，因此得了个"无赖"的诨名。这个"无赖"儿子，不知让蒋母操了多少心，直到蒋介石十四五岁时，才发誓要好好读书，求取功名。

永别溪口

1949 年 1 月 22 日，中国人民解放军逼近南京，蒋介石宣布"引退下野"，第二天就回到了奉化溪口老家。这是他一生中的第三次下野，也是他最后一次逗留故里。

蒋介石知道自己这是最后一次到故乡探亲了，所以开春后，即带蒋经国和孙子孙女专程到葛竹外婆家扫墓探亲。清明节那天，又带着蒋经国夫妇和孙子孙女扫蒋母墓。他在墓前躬身下拜，喃喃祈祷，涕泪横流。拜毕，连声嘱咐儿孙"多磕几个头"。接着，又命堂弟和族人挑了祭品，扛了供桌，到桃坑山去祭扫了蒋父之墓。

4 月 21 日，人民解放军百万雄师横渡长江。23 日，占领南京，蒋家王朝土崩瓦解。24 日中午，蒋介石下令："把船只准备好，明天离开溪口。"

有人目睹，4 月 25 日临走之前，蒋氏父子两人，乘坐剡溪渡船，到达溪南。两人在溪南的堤岸上缓缓步行，不时遥望对岸祖居，尔后即从武岭门坐车启程。

去台前夕独坐于故乡三隐潭下的蒋介石

据当地史料记载，蒋氏父子等一行人于25日下午二时许，到达南邻奉化的宁海县双山岛畔西店乡团山村，坐渡船下海登上早已停泊在那里的"太康"号军舰，从此永远离别了家乡。

|四明山|

[丹山赤水洞天]

四明山，是曹娥江和甬江的分水岭。传说秦始皇命鬼王驱山塞海，百灵劳役于此，所以四明山在古代名"鬼藏山"。因它在余姚南部的勾章之北，故又称"勾余山"。晋、宋以后改为现名。《读史方舆纪要》引孙绰《天台赋》赞："涉海则有方丈、蓬莱；登陆则有四明、天台，盖仙之窟宅也。"《雍正浙江通志》载："上有方石，四面如窗，中通日月星宿之光，故曰四明山。"有"四明之目"之称的石窗，在今余姚大俞山。石窗之右，是杀羊岭，岭巅是数里平冈，一片赤色，和赤水相映。传说，古时有仙人在此杀羊，羊血上溅岩壁，下注溪流，染就丹山赤水。道家以此为第九洞天。

四明山有二百八十峰，周围190公里，地域极其广大。主峰四明山，地势险峻，海拔1012米。其他各峰中，龙泉山、梨洲山、雪

237

窦山、东山等，都留有不少的文化遗迹。

日月之明四窗岩

四明山著名胜境四窗岩，为一巨大石岩，岩壁如削，光赤平滑，崖腰有洞，内有四穴，远处仰望犹如楼之窗户，以通日月之光，因此得名"四窗岩"。唐代诗人刘长卿有诗曰："苍崖依天立，履石如房屋，玲珑开窗牖，落落明四目。"四明窗也由"落落明四目"而得名。有人说，四明山是宁波人的母亲山，四明窗即是四明山之目。

崖腰的洞穴中隔三石，分为四室，大室可容十余人，其中三洞相望，倾身可过。石室内石乳倒悬，形状怪异，纷呈五色。其中有一室，悬石如鼓，题有"悬鼓"二字。洞口悬石如磬，题有"悬磬"二字。两洞口顶上削壁处，题有"片云"字样。可见古代文人骚客对四窗岩颇为重视。明末清初，余姚先贤、浙东学派鼻祖黄宗羲在其所著《四明山志》卷首写道："余妙南有山二百八十峰，西连上虞，东合慈溪，南接天台，中峰最高，上有四穴，若开户牖以通日月之光，故号四明。"这"四穴"，就是现在的"四窗岩"。据有关资料，中国古代伟大的旅行家、地理学家徐霞客曾到过四窗岩。

四窗岩下临深谷，有清泉碧潭，对面山崖壑口，一条瀑布飞泻

四明山四窗岩

而下，四面灵峰耸立，岩谷奇秀，俯视天际，如临高楼。故自古有"险、奇、神"之语。险：处凌峰绝顶，"鸟道万丈，高索空行"；奇：下望如楼之有窗；神：古称仙家窟。

据说蒋介石曾两次到四窗岩。第一次在其发迹前，据说因此得到梦中祥兆，后果然飞黄腾达，应梦而发。后一次是在败走台湾前的1949年4月13日，与其子蒋经国同到四窗岩，此次境遇就完全不同了，可谓："凄凄惨惨戚戚"。

龙泉山上五桂楼

龙泉山又名绪山、灵绪山，位于余姚县城西。相传宋时，有天晚上，皇城大火，帝命绪山庙神前来相救，火遂得灭。于是敕赐为灵绪山庙，故山也称灵绪山。山腰有泉，水清且甘，虽大旱而不涸，名曰龙泉。

据说宋高宗曾游此山，饮龙泉水，携十瓮以去，由此龙泉之名益振。山南有龙泉寺，据唐虞世南《大龙泉寺碑》载，龙泉寺者，晋咸康二年（336）民工王阳及虞弘实等人所建立。由此判定，寺以泉名，建寺之后，又以名山。

今山顶有祭忠台。山腰有中天阁，王阳明曾讲学于此，故又称阳明书院。山麓有严光、王守仁、朱舜水、黄宗羲四先贤故里碑等遗迹。

龙泉山下的五桂楼，为浙东第二大藏书楼。此楼创建人黄澄量，字式筌，号石泉，平生不置产业，性喜藏书。因余姚地处山区，无兵戈之忧，乃于此筑楼贮书。民间传说，"五桂楼"名称的来由，是书楼前原有五棵桂树。阮元《黄氏五桂楼藏书目序》则称，黄澄量"慕远祖宋时号五桂者昆季五人并著清望，遂以五桂名楼"。

五桂楼有一部书长期罕为人知，直到20世纪70年代方为目录学家发现，并被称为"稀有的好书"。此书即黄澄量所编的《今文类体》，是一部明代诗文和奏议的集子。黄澄量生当文网严密的乾嘉之际，当时对明代人的著作禁锢甚严，甚至有可能引来杀身灭族之祸。在编辑此书时，他煞费苦心地将王守仁、方孝儒、张居正等名列于前，而把触犯清代忌讳的文章放在后面，终于使此书躲开了文字狱，侥幸地保藏了下来。

不废弦歌黄梨洲

梨洲山在余姚市城区南70里。《宁波府志》载：晋孙兴公与兄承公同游此山，偶得梨数枚，左右环视，莫见其迹，意以为仙物也，故号其地为梨洲山。

梨洲山为四明山腹地，多峡谷，山势险要，古为屯兵之地。明末黄宗羲、王翊曾在此结寨抗清。

黄宗羲（1610—1695），字太冲，号南雷，浙江余姚人，清初思想家、史学家、文学家。曾任南明王朝左副都御史，并举兵抗清。兵败后，起用了许多别号。因其家居梨洲山边，故在《明夷待访录》中署名"梨洲老人"，后世学者尊称他为梨洲先生。

黄宗羲的一生可分为两大阶段。前半生即四十四岁以前，主要是读书学习和从事实际政治斗争；后半生即四十四岁以后，主要是著述和讲学。

黄宗羲是位博学多才的学术大师，在哲学、历史、天文、地理、数学、文学、艺术、宗教、文字等领域都有很深造诣，著有《宋元学案》、《明儒学案》、《明夷待访录》、《南雷文案》、《行朝录》等著作。黄宗羲从事讲学，培养了许多人才。正如全祖望《梨洲先生神道碑文》所记："东之鄞，西至海宁，皆请主讲，大江南北，从者骈

余姚黄宗羲墓

锋镝牢囚取次过，
依然不废我弦歌。
死犹未肯输心去，
贫亦其能奈我何。
　　　——黄宗羲

集，守令亦或与会。已而，抚军张公以下皆请公开讲，公不得已应之。"黄宗羲开创了中国学术史上一个重要学派——清代浙东学派。

黄宗羲晚年曾在给学生的信中讲了四条"可死"的道理："年纪到此，可死；自反平生虽无善状，亦无恶状，可死；于先人未了，亦稍稍无歉，可死；一生著述未必尽传，自料亦不下古之名家，可死。如此四可死，死真无苦矣！"他正是怀着这种死而无愧的心情离开人世的。临终嘱咐家人，遗体就穴而葬，不用棺椁。

"锋镝牢囚取次过，依然不废我弦歌。死犹未肯输心去，贫亦其能奈何！"梨洲老人这首写于抗清失败避居深山之时的诗，可视为其高尚情操和民族气节的自白。

"应梦名山"雪窦寺

雪窦山，在奉化溪口镇西10里处，有"四明第一山"之称。山有乳峰，乳峰有窦，水自窦出，洁白如雪，故名。

相传雪窦山上曾有仙人降临，至今人们仍把雪窦第一峰称为商量岗，据说这里曾是两个神仙相对而坐共商大计的地方。

雪窦山口有御书亭，内立"应梦名山"碑，系宋理宗手书。《雪窦寺志》载：理宗曾梦游寰宇，见一"双奇效流，珠林挺秀"之地。醒后，诏有司具天下山川图册以资辨认，当即指出雪窦山，遂赐御碑。

"荒芜行尽处，幽亭聊暂止。带雨策孤筇，登高从此始。"这是宋代雪窦寺方丈智鉴为"入山亭"所作。此亭建于宋代，初为朝山进香者休憩、山民歇肩之地。相传明代画家唐伯虎曾在此以木炭为笔，题下"入山亭"三字。

被称为"天下禅宗十刹之一"的雪窦资禅寺在主峰下。此寺始建于东晋，初名瀑布观音院，后屡次扩建。现仍保存着"钦赐龙藏"经书、钦赐玉印、龙袍、龙钵及玉佛、名人墨迹等。

雪窦寺是弥勒佛的道场。它与五台山大乔智文殊菩萨道场、峨嵋大行普贤菩萨道场、普陀山大慈大悲观音菩萨道场、九华山大愿地藏王菩萨道场齐名。弥勒佛出于印度，以"宽容"著称。相传，他从兜率宫跌到奉化长汀县江里，张重天将他收养成人，取名契此，叫

241

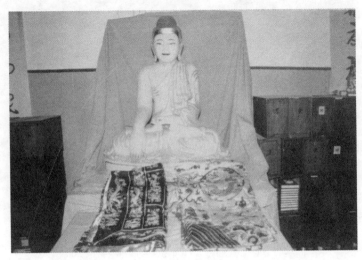

奉化雪窦寺
清光绪帝御赐
龙袍、袈裟、玉佛

布袋和尚
李可染

长汀子，又称布袋和尚。他长期修炼，布施讲学，深得民心。他"大肚能容，容天下难容之事；开口便笑，笑世间可笑之人"的信条，对百姓影响极大。据说，他收蒋介石祖上二太公摩诃居士为徒。一天，师徒二人一起洗澡时，摩诃发现师傅背上长着眼睛，便惊呼："师傅是佛！"布袋和尚自知被识破，便当场坐化。后人为了纪念他，遂在雪窦寺塑像建庙。1987年，中国佛教协会会长赵朴初定名雪窦寺为"弥勒道场"。

雪窦寺前，有乳泉之水汇入锦镜池，在断崖一泻而下，飞珠溅玉，成千丈岩瀑布奇观。宋真宗赐名"东浙瀑布"。王安石为此写有《观瀑》诗："拔地万重青嶂立，悬空千丈素流分。共看玉女机丝挂，映月还成五色文。"

雪窦寺和许多历史名人有关。

据传，唐末农民起义将领黄巢兵败后南下，到达雪窦寺后，便弃甲丢刀，削发为僧。圆寂后，葬于雪窦寺"含竹林"。

雪窦寺附近有妙高台。妙高台，又称"妙高峰"、"天柱峰"，因有峰突起，截出万山之表而名。妙高台周围松樟翠锁，阴翳蔽日，游者如在半空云雾之中，被称为雪窦山最胜处。宋楼钥《妙高峰》诗曰："一峰高出白云端，俯瞰天涯千万山。试问冈头转圆石，不知何日到人间。"据1949年重修的《武岭蒋氏宗谱》记载，蒋介石八岁时"始上雪窦山见妙高峰爱之"，"民国十六年蒋介石先生建别墅于其地"，自题门额"妙高台"。别墅为中式建筑，建筑面积为436平方米。蒋介石后来回溪口时，由于其故居低矮，四周均为民居，不便警戒，多不住宿老家，而是乘轿上雪窦寺、妙高台。"文化大革命"时期，妙高台被拆毁，1986年重建复原，但原正门进口的石塔被放在了中间。这座石塔是清末民初时雪窦寺方丈和尚的浮屠，因蒋介石非常敬重他，故在造妙高台时移了过来。蒋介石1920年11月19日曾凝思雪窦风景口占一绝："雪山名胜擅幽姿，不到三潭不见奇。我于林泉盟在夙，功成退隐莫迟迟。"可惜他至死也未功成退隐，而与其有关的山山水水却依然让后人联想起那些过往的故事。

雪窦寺还和张学良有关。在雪窦寺西侧山坡，有1934年由上海中国旅行社投资建造的青砖灰瓦平房一幢，建筑面积438平方米，正

屋有餐厅、客房6间，另有偏屋数间。1937年1月，房子被国民党军事委员会包用，称"张学良先生招待所"。张学良和他的副官、护士，以及军统特务队长同住在这里。另有一些特务队员，以及一连宪兵驻扎在雪窦寺，进行监视。张学良在这里度过了八九个月的幽禁岁月。有一天，张学良见一个和尚在法堂前栽育楠木，就上前相帮，共栽下四棵，两棵于1956年被毁，留下的两棵现已树大成荫，人们谓之"将军楠"。1937年中秋，由于木结构厨房起火，房子全部焚毁，张学良在雪窦寺小住几天之后，即被迁往安徽黄山。1987年5月，政府拨款于原址复建，次年落成，寺内陈列张学良生平事迹图片。世事沧桑，人心是秤，对于"民族的脊梁"，人民是不会忘记的！

|天台山|

[三山五岳之精灵]

天台山位于浙江省西南部的天台县境内。南北朝陶弘景在《真诰》中云："山高一万八千丈，周八百里，山有八重，四面如一，顶对三辰，当牛斗之分野，上应台宿，故曰天台。"民间则传说天台山原是一朵用龙麟造成的莲花。早年，这里是汪洋大海，海里无风三尺浪，无数渔民葬身海底。东海龙王的九个儿子见此情景，痛苦万分。他们各自从身上拔下八片龙麟，化作一朵硕大无边的莲花，用来救助海上的遇险者。后来，这朵七十二片花瓣的莲花变成了一座山峰，就是今天的天台山。据说八仙曾在天台山举行盛会，相约要为此山取名。八仙之首的汉钟离说："我看此山可算是三山五岳精灵，其优美胜过天台，就称它为天台山吧！"从此天台山的名字就传了下来。

天台山以雄俊神秀闻名于世。史载，王羲之、顾恺之、孙绰、谢灵运、李白、孟浩然、刘禹锡、元稹、刘长卿、苏轼、陆游、王十朋、徐霞客、康有为等名人曾游历此地，并留下了众多吟咏的篇章。

相传三国时葛玄曾在天台山辟圃栽茶。这里的茶经从此绵绵不绝。日僧最澄曾从此地携茶种回国，在日本比睿山辟"日吉茶园"，成为日本的茶祖。

天台山有"琼台夜月"、"赤城栖霞"、"桃源双峰"等著名景观。

琼台在今桐柏水库西北，后倚百丈崖，前对双阙，下临龙潭，三面绝壁，孤峰卓立。李白有《琼台》诗赞之。台上有一石，其状若椅，名"仙人座"。传说八仙之一的铁拐李曾住在对面的万年山，每逢中秋月圆之际，就飞渡绝谷，来到琼台，坐在仙人座上，邀嫦娥和众仙子同赏明月，共度良宵。吕洞宾拜铁拐李为师三年后，铁拐李命他飞到对面的琼台上，采摘三只桃子。就在吕洞宾来去的途中，铁拐李把他度成了神仙。吕洞宾返回万年山时，在石崖上踩出了两个深深的脚印。至今，游人们还会饶有兴致地赤脚戏踩其印。

赤城距国清寺约四里，被称为天台山的南门，"门标赤城霞，楼栖苍岛月"。赤城为地质时期的中生代，由火山活动残留的花岗岩构成。经风化水蚀，形若城堡，色如丹霞，故得此名。晋时，昙猷曾在赤城建中岩寺，南齐时因塑佛像又改名卧佛。山上的赤城塔，相传为南北朝梁代岳阳王妃所造。岩间崖下，散布着十二石洞，其中，玉京洞有"天下第六洞天"之称，传说仙人许迈曾居于此，又传说昙猷曾在此诵经。

245

天台采芝
李耕

天和树色霭苍苍，
霞重岚深路渺茫。
云窦满山无鸟雀，
水声沿洞有笙簧。
碧纱洞里乾坤别，
红杏枝头日月长。
愿得花间有人出，
不令仙犬吠刘郎。
——〔唐〕曹唐
《刘阮洞中遇仙子》。

山水中國

浙江卷

桃源双峰和一个美丽的传说有关。相传东汉时，剡溪旁的小村里，很多人得了心窝痛的毛病。有两个小伙子刘晨和阮肇，入山采摘根治这种病的乌药时，迷失了道路。在一条溪水边，他们遇到两个姑娘，一个叫红桃，一个叫碧桃，是王母娘娘桃园里司管蟠桃的仙女。她们热情地邀请刘、阮二人住在了桃源洞中。半个月后，碧桃嫁给了阮肇，红桃配给了刘晨。他们终日以弈棋为娱。半年之后，刘、阮二人渐萌思乡之情，遂别仙女回乡。仙女们以乌药相赠，并一直送到了他们最初相识的小溪边，依依惜别。刘晨、阮肇走了十三天，回到家乡。但村里面貌大变，人皆不识。一位须眉皆白的老翁告诉他们："小时候我听祖父说过，村里有两个七世祖到天台山采药，以后一直没有回来。"原来，山中方半年，人间已七世了。刘、阮二人把带回的乌药种在药圃中，一夜功夫，那乌药便长了满满一园。患心窝痛的人吃了，个个健壮起来。又过了一年，刘晨、阮肇因思念仙女，再上桃源洞。但见洞口飘着云雾，岩壁生满苔衣，洞中只剩石桌、石凳，却不见碧桃、红桃的倩影。原来，王母娘娘知道了仙女们缔结婚姻、私赠乌药的事，勃然大怒，她们罚变成了桃源洞边的两座山峰。天台山南麓的双女峰，据说就是两位仙女的化身。双女峰边的桃源洞，就是两对情人当年的洞房。后人还把他们初遇和惜别的那条小溪称作"惆怅溪"。至于"天台乌药"，则早已名扬中外了。

也有人说，这个美丽的故事发生在四明山的四窗岩。

天台一宗流四方

天台山是我国佛教天台宗的发源地，是名僧济公的故里，也是智者大师开创教义的地方。

主峰华顶峰有"拜经台"，曾是智者大师拜《楞严经》的地方；善兴寺东北的"太白读书堂"是李白读书处；而"王经洞"和墨池相传是王羲之书《黄庭经》所在。

天台祖庭国清寺

国清寺位于天台山南麓，是佛教天台宗的发源地，也是日本天台宗的祖庭。始建于隋大业四年，距今已一千余年，创建人智颛，又称"智者大师"。据载，国清寺刚开始伐木筑基，智颛便圆寂了，留下"寺若成，国即清"的隐语。隋文帝杨广登基后，赐匾"国清寺"。

在漫长的历史岁月中，国清寺时有兴衰。现有四殿、五楼、六堂、二亭及六百多间屋宇。南宋洪适诗云："物外千年寺，人间四绝名"。"四绝"即"天下四大丛林"，指南京的栖霞寺、齐州的灵岩寺、荆州的玉泉寺，以及国清寺。

天台宗是中国佛教的第一个宗派，因创始人智颛常住天台山而得名。智颛承继天台宗二祖慧文、三祖慧思的学说，并进一步发展，形成了以"一念三指"（指包罗万象、千差万别的世界本存于"一念"之中）和"三谛圆融"（指"空"、"假"、"中"三条真理不相妨碍，"一念心起，即空，即假，即中"）为中心思想的独立学派。唐代著名的鉴真大师曾任天台宗第四世祖。日僧最澄曾在此学得天台宗教义，回国后仿建而成日本的国清寺。

相传智者大师圆寂前，曾将一金钥匙交给大弟子灌顶，嘱其埋于藏经阁前的菩提树下，二百年后东土高僧前来取经，如谁与天台宗有缘，得到金钥匙，便将阁中《法华经》赠送与他。二百年后，天

天台国清寺

台宗传至第十世祖道邃法师，果有日本国高僧最澄来此参学。一日，最澄入睡，梦见鉴真和尚授以金钥匙之事，醒后即禀道邃法师。道邃大喜，遵上祖命托，开启菩萨树下的土层，见一白玉匣从土中冒出，匣启，内有一把金光闪闪的钥匙。"真主从东来，玉匣今朝开"，正应了智者大师二百年前的预言。于是道邃法师把《法华经》赠给了最澄。

为纪念最澄法师取经的盛事，以后日本佛教友人来天台山朝拜祖庭时，胸前总佩有金钥匙图案的锦带。

天台三隐归何处

唐时，国清寺出了一个高僧，名叫丰干。传说丰干原是尚书之子，不仅能诗，且通医术。这一年八月初九，丰干出寺访友，穿过松林，刚到半岭，突见林中隐隐现出三只老虎，中间的大虎还衔着一个穿红肚兜的小孩。丰干大叫一声，拼命追赶，老虎衔着小孩跑向对面的山中，一只小虎却被古藤绊住。丰干抓住小虎，将它吊在大松树上。等大虎返回时，那小孩竟坐在虎背上。丰干举刀欲杀老虎，小孩却伸手阻拦："请师父手下留情，此虎乃是我的救命恩人！"原来，小孩的父母在往国清寺朝香途中，被两只恶豹吞食，小孩亏了老虎相救才保住性命。后来这孩子便由丰干收养，起名"拾得"。丰干带他入寺为僧，在厨房做杂役。

寒山又称寒山子，因住在寒岩山而得名。他身着破烂衣，头戴桦皮帽，脚穿木拖鞋，常来国清寺，由拾得供应一些菜滓剩饭。寒山好作诗，但无纸笔，就写在崖壁或树上。有人抄录，得三百余首，成《寒山子集》。拾得也喜欢吟诗作偈，与寒山结为诗友，人称他们为"寒山拾得"。国清寺前的寒拾亭和丰干桥即为三位名僧而建。

传说台州刺史闾丘胤有一天读到寒山的诗，大为欣赏，就带了五名快骑，走一百多里，来拜访寒山。在国清寺逐个禅房寻找一遍，不见寒山的踪影，却在路过灶房时，隐隐约约地听见吟诗。闾丘胤驻足谛听，原来吟的是："重岩我卜居，鸟道绝人迹。庭际何所有，白云抱幽石。住兹凡几年，屡见春冬易；寄语钟鼎家，虚名定何益。"闾丘胤听了，心中暗喜，恭恭敬敬地在门外问："二位师父，知道寒

寒山拾得图
清
罗聘

山子在此吗？"房内的老僧听了哈哈大笑。其中一个合掌道："贫僧
早知阁下必然远道来访，未曾迎接，失敬失敬！"闾丘胤询问他们
的法号，其中一位答道："贫僧叫拾得，他就是你寻找的寒山子！"
闾丘胤喜出望外，忙迎上去，而那老僧却气道："拾得为何如此饶
舌！"说罢就向门外跑去。闾丘胤忙命五位骑从急马追赶。转眼追
出了几十里路，一直追到岩洞壁旁边，五位骑从被烈马掀落在地，烈
马飞奔而去。突然，"啪"的一声巨响，白光罩满山坳，岩门大开，
寒山子径直进去，五匹马也疾奔进去。岩壁上印下了五匹马的影子。

闾丘胤叹道:"寒山无踪迹,五马隐青山。"

史载,丰干、寒山和拾得三人为"天台三隐"。后来丰干不知去向,寒山与拾得则隐居天台山。徐霞客游天台山日记中载:"明岩为寒山、拾得隐身地","岩外一特石,高数丈,上岐立如两人,僧指为'寒山、拾得'云"。

一行到此水西流

国清寺外丰干桥侧,有石碑一方,上书"一行到此水西流"。

僧一行为中国佛教密宗之祖。他自幼博览经史,尤精于历象阴阳五行之说,是唐代著名的天文学家。他曾在数天内作《大衍玄图及义诀》一卷,名声大振。因不满时政,落发出家。唐睿宗曾派员以礼相聘,但他称疾坚不受命。

据《旧唐书·一行传》载,一行为造《大衍历》,来向国清寺高僧达真求教。这天正逢大雨,当他走到寺前时,见寺门紧闭,只闻达真法师谓其徒曰:"今日当有弟子自远求吾算法,已合到门,岂无人导达也?"接着又曰:"门前水当西流,弟子亦至。"一行听罢,果见南涧泉水滚滚而下,西涧泉水徐徐东去。两涧相汇于桥下,南涧的水涌进西涧,向西奔腾而去。从此便有"一行到此水西流"的佳话。后人称此奇观为"双涧回澜",为天台之一景。

国清寺前有一行墓,墓前立有"唐一行禅师之塔"。

|江心屿|

[英雄浩然《正气歌》]

江心屿,在温州市北,是瓯江中的一座东西阔、南北狭的孤岛。早在1500年前的南北朝时代,这里就以景色秀丽而名扬海内。古时有"春城烟雨、塔院筲风、瓯江月色、罗浮雪影、海淀朝霞、翠微残照、孟楼潮韵、海眼泉香、沙丁渔火、远捕归航"等十景。

江心屿上,现有江心寺、浩然楼、文信国公祠、谢公亭和澄鲜阁等名胜。

251

江心寺四面烟波

江心寺，也叫中川寺。古时，瓯江的东西两峰间，横隔一条河流，叫中川。唐咸通七年（866），江心孤屿的西峰下建净修禅院；北宋开宝二年（969），又在东峰建普寂禅院。宋高宗被金兵追赶，南奔温州，曾在普寂禅院避居了半个月，为该寺题了"清辉浴光"四字。返回临安后，将该寺改名为龙翔寺，将净信禅院改名为兴庆寺。绍兴七年（1137），清了和尚合二寺为一寺，建江心寺。传说清了自四川来此讲经，东海龙王见听者拥挤不下，便填塞了中川，将东西两山联为一山，遂成今日之势。

江心寺的山门上，有一副别出心裁的楹联："云朝朝朝朝朝朝朝散；潮长长长长长长长消"。相传，南宋状元王十朋曾在江心屿读过书，江心寺的这副对联就是他撰写的。王十朋，字龟龄，号梅溪，温州乐清人。传说他勤奋好学，感动了东海龙王，送给他一种名叫"子斜"的鱼作佳肴。从此，子斜鱼便生长在江心屿后的江水中。

江心寺面积为2870平方米，分前、中、后三个大殿。在其殿柱上，有一副对联云："四面烟波，几疑蓬岛移来，金山飞到；一龛香火，剩我蜀僧胜迹，宋跸遗址"。

文天祥正气浩然

江心屿上，有文天祥祠，即文信国公祠。

文天祥一生致力抗元。曾组织民军勤王，在代表南宋与元军谈判时被俘，逃脱后又率兵抗元。后在作战中再次被俘，誓死不降元。文天祥第一次被俘逃脱后，曾留居江心屿，召集温、台、处三州豪杰，共商复国大计。在此写下了著名的《至温州》诗："万里风霜鬓已丝，飘零回首壮心悲。罗浮山下雪来未？扬子江心月照谁？祗谓虎头非贵相，不图羝乳有归期。乘潮一到中川寺，暗读中兴第二碑。"

明成化十八年（1482），人们在此建造了文信国公祠。内有文天祥塑像，反映其壮烈一生的八幅壁画，《正气歌》刻石及历代文人所撰碑文。清学者阮元的《温州江中孤屿谒文丞相祠》赞曰："独向江心挽倒流，忠臣投死入东瓯。侧身天地成孤注，满目河山寄一舟。朱

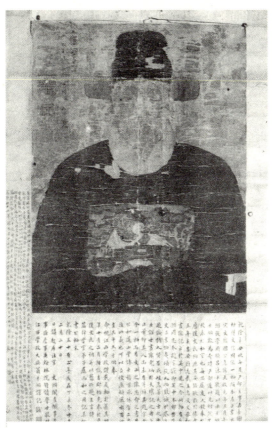

文天祥像

鸟西台人皆哭，红羊南海劫初收。可怜此屿无多土，曾抵杭州与汴州。"

文信国公祠前东侧，有浩然楼。清乾隆三十八年（1773），为纪念文天祥而建。取其《正气歌》中"于人曰浩然，沛乎塞苍冥"的"浩然"二字而命名。一说是为纪念唐诗人孟浩然而建。孟浩然曾与其少年好友张子容在屿上饮酒作诗，有"逆旅相逢处，江村日暮时。众山遥对酒，孤屿共题诗"之句。

江心屿的西侧，有谢公亭，是为纪念南朝著名诗人谢灵运而建。谢灵运生性喜好游山玩水，在任永嘉太守期间，常常泛游至江心屿。相传，西山下为当年谢公观海和休憩之处，后人建亭于此，故称"谢公亭"。谢灵运曾作《登江心孤屿》诗："乱流趋正绝，孤屿媚中川。云日相辉映，空水共澄鲜。"明万历十五年（1587），人们重修西山山腰上的江上楼，便取谢诗之句，易名为"澄鲜阁"。

|普陀山|

[海天佛国]

在浙江省舟山本岛东约10里处，有一座"蓬莱仙岛"，这就是佛教四大名山之一的普陀山。

"万顷风云浮碧玉，孤插苍溟小白华。"普陀山之名源自佛教《华严经》，全称为"普陀洛迦"、"补坦洛迦"，梵语原意为"美丽的小白花"。这里既是佛教胜地，又有山、海之胜景，人称"神仙境界"。

山当曲处皆藏寺

普陀山历史悠久，四千多年前就已有人居住。春秋战国时，越王勾践将这一带命名为"甬东"。汉成帝时，梅福曾来此炼丹，因此，唐以前这里一直称为梅岑山。唐宣宗大中年间天竺僧人来此修行，遂得"普陀洛迦"之名。

普陀山寺庙的
佛事活动

宋嘉定七年（1214），宁宗御赐给普陀山宝陀寺"圆通宝殿"匾额，并指定山中各寺圆通殿均须供奉观世音像。

以后每个朝代都在普陀山大兴土木。普陀山的鼎盛期是清朝末年，共建有三寺（普济寺、法雨寺、慧济寺）、八十八庵、一百二十八茅蓬，当时僧尼达一万余人，真是"山当曲处皆藏寺，路欲穷时又遇僧"，人称普陀山为"海天佛国"。

普陀山最奇丽的景致还数海市蜃楼。每当气候适宜时，海天相接的茫茫边际，就出现琼楼玉宇。1916年8月25日下午，孙中山由普济寺当家和尚了余等陪同，游览普陀的佛顶山。当步行到普济寺时，只见寺前恍然矗立一伟丽的牌楼，"仙葩组锦，宝幢舞风，而奇僧数十。窥其状，似来迎客者"。当环眺于佛顶台时，"俯仰间，大有宇宙在乎手之慨，而空碧涛白，烟螺数点，觉生平所经，无似此

第四辑 宁波—普陀山之旅

清胜者。耳闻潮音，心涵海印，身境澄然如影，亦即形化而意消"。孙中山委托秘书拟写了《游普陀山志奇》，并加盖"月白风清"章于其上。

"海天佛国"的名胜古迹很多，如紫竹林、磐陀石、观音洞、朝阳洞、珞迦山、观音跳、御碑亭、南天门、西天门、二龟听法、千步金沙、两洞潮声等，都各有特色。

普陀山曾吸引无数名人学士、佛门弟子、四海游人。传说康有为在变法失败后，也曾来此暂住。当时有人传言，康有为在陕西借阅佛经未还，佛门不应接待。因此康有为在几个大寺院皆受冷遇，惟独圆通庵热情地接待了他。当时，康有为穷得身无分文。圆通庵的茶房阿亮给他端茶送水一个多月，却没收到一文茶钿，心中甚为不快。康有为看出阿亮的心思，便题写了"降伏心"三字，赠送给他。阿亮并不以为珍贵，仍怏怏不乐。圆通庵的了达和尚知道后拿出三十块银元购买此字，并嘱咐阿亮以后要好好款待康老先生。后来康有为得知此事，十分感激。他站在窗前，面对浩瀚的东海感叹："海水岂能斗量。圆通庵虽小，却面对大海，站得高，看得远，是个好地方！"他临走时，又特为圆通庵题匾："海山第一庵"。

[观音道场]

我国佛教的四大名山中，九华山供奉地藏，峨嵋山供奉普贤，五台山供奉文殊，普陀山则供奉观世音。

观音"不肯去"

据传，五代后梁时，有位名叫慧锷的日本僧人，从五台山的一座寺院迎奉观音像一尊，欲乘船回国。船到普陀山海面，突遇风暴，只得避进一个岙口。第二天，风平浪静，慧锷扬帆启航，海面上却升起一团烟雾，船在海上绕了一个大圈，又回到了普陀山的海面上。第三天，船刚出岙口，海风抛起了巨浪。接着，海面上飘来朵朵铁莲，上下翻动，把船围在中间。慧锷大惊，心想，难道是观音像不愿离开中国？于是跪在观音像前，合掌祷告："若我国众生无缘见佛，当从所向建立精舍。"祷毕，海底突然钻起一头铁牛，大口吞嚼

普陀山
南海观音塑像

着铁莲，海面上随即现出一条通道。船漂泊到附近的潮音洞下。当地居民舍宅为寺，这尊观音像就留在了普陀山。潮音洞旁从此有了一座"不肯去观音院"，普陀山开始供奉观世音。

妙常舍臂成正果

　　据《法藏经》解释："苦恼众生，一心称名，菩萨即时观其音声，皆得解脱，以是名观世音。"观世音随着大乘佛教来到中国后，因唐太宗李世民讳"世"，故改名为"观音"。

　　唐宋以来，民间传说观世音是中国古代妙庄王的三女儿。这位三公主从小吃斋信佛，而妙庄王却希望她择一出众的驸马，并承继

257

王业。于是三公主躲进舟山桃花岛的白雀寺，削发为尼，法名妙常。

妙庄王派大臣劝说三公主还俗回宫，但妙常心坚如铁。后来，妙庄王用重金买通了白雀寺的当家师姑，命她百般虐待妙常。一个大雪纷飞的寒冬，妙常外出打柴，栽倒在山沟里。一位老渔翁救了她。以后，她漂泊到一座荒山上，结茅为篷，与鸟兽为伴，念经修行。

许多年后，妙常的行踪又被妙庄王查到了。妙庄王用琉璃、硝石放火烧山。火海中，但见妙常身穿白袍，脚踏莲台，徐徐向海空飘去。妙庄王回到王宫后，忽然浑身长出无头脓疮，遍访名医，用尽良药，全不见效。这天，他在昏迷中听到一个声音："妙庄王，你若想活命，到南海普陀去求你女儿吧！"妙庄王只得渡海找三公主。只见妙常端坐莲台，合十稽首道："父皇莫要心焦，女儿救你来了。要治父病，只有拿女儿的手臂作药引。"说完，"咔嚓"一声，把手臂折断抛在妙庄王面前。顿时，三公主的周围金光耀眼，只见她的两肋之下长出无数条手臂。她终于修成了正果，登上三宝，成了菩萨，尊称为大慈大悲广大灵感救苦救难观世音菩萨。民间叫她"抽

258

"手观音"、"千手观音"。

据说那位妙庄王取了女儿的手臂，百病顿时消散。为了赎清自己的罪孽，他走出皇宫，一心修行，后也修成正果。西天佛祖将他召去，要给他排个座次。他却忽然闪过一念，想起皇宫金库中的财宝，佛祖看透了他的心事，便道："看来你凡心未灭，尘缘不断。你既如此贪财，还是到普陀山凉亭的路边找个安身之处，讨取香客们的施舍去吧！"于是，他成了普陀山上一座小佛龛里的"讨饭菩萨"。

佛教传说观音的生日为农历二月十九日，成道日为六月十九日，涅槃日为九月十九日。每逢这三日，朝山的善男信女成群结队而来，其中也有"梦想名山久，因之驾海来"的异国佛教徒。

《西游记》中，孙悟空多次驾云南海珞珈山竹林，奉请观世音菩萨。相传，孙行者所到之处，正是普陀山。

佛心蛇心自分明

普陀山上有许多观音的圣迹。潮音洞和梵音洞都是传说中的观音现身处。潮音洞中海浪翻滚，涛声如雷。过去常有人至此跳海舍身，以求菩萨现身。到了清末，不得不明令禁止，并在洞旁建"莫舍身亭"。

普陀许多奇石都和观音有关。著名的"心"字石宽约7米，上镌一巨大的"心"字，仅字中的一点即可站七八人。据说在石山脚，压着一条蛇精。"心"字石的寓意是："佛心，蛇心，善恶分明！"

传说善财从小没爹没娘，是个苦孩子。有一天，他到井边挑水，听到井中有呼救声。善财跳入井中，只摸到一只小瓶，用力一挤，破瓶中升起一团浓烟，渐成一个青面獠牙的大汉，原来是黑蛇精。五百年前，观音菩萨把它关在瓶里，丢进莲花洋。井底通洋，潮水把瓶子冲到了这里。黑蛇精被救后，却恩将仇报，要吃掉善财。不知从何地站出一个小姑娘，听善财说完事情经过，笑呵呵地拿出一只小瓶，霎时，金光万道，祥云朵朵，小姑娘也显身为观音菩萨。蛇精连忙化作乌云，腾空而逃，但终于斗不过观音，被收回净瓶中。观音收住净瓶，对善财说："你虽然心地善良，可是善恶不辨，还是随我到普陀山修炼去吧！"善财跪地磕头，这就是后来的善财童子。

　　观音菩萨回到普陀山，把黑蛇精压在西天门的石山脚下。那块"心"字石，正好就在蛇头的前方。

　　观音菩萨后来又收了东海龙王的小女儿龙女为童女。善财和龙女像兄妹一样住在潮音洞附近的一个岩洞里。这个岩洞后来称为"善财龙女洞"。

观音跳与二龟听法

　　观音在南海普陀山念经讲法，修炼成佛，就上西天参拜如来。一转眼过了九九八十一天，而凡间却已过了几百年。这期间，一条红蛇来到普陀山，使全岛乌烟瘴气。

　　后来，观音变成了一个年轻姑娘，纵身一跳，就从珞迦山跳到普陀山。她将红蛇收在一只金钵里。红蛇求饶，观音便放它回云雾洞修炼，并顺手折一朵莲花，变成一朵"莲花云"，给红蛇遮阴用。

　　直到今天，人们还能看到那朵莲花云飘浮在云雾洞上空。观音从珞迦山跳到普陀山，在她落脚的那块岩石上，留下了一个深深的脚印，后人称之为"观音跳"。

　　普陀山上还有两块状似海龟的石头。据说东海龙王曾派二海龟

去偷听观音念经，并要它们记下经文，好给水族讲解。不料，两只海龟只顾听观音讲经，全神贯注，竟错过了返回大海的时辰，遂变为石头。有人为此写了一首诗："见说盘陀著地灵，普门曾此坐谈经。二龟何事翻成石，想是当年不解听。"

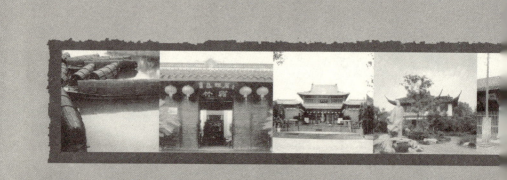

第五编　雁荡山—楠溪江之旅

浙江永嘉
2005.01.01.19
营业

| 雁荡山 |

[“不游雁荡是虚生”]

雁荡山，一称雁山，坐落在浙江东南部，是括苍山的支脉。全山东西50里，南北36里，紧傍东海，人称“海上名山，寰中绝胜”。乐清县的北雁荡、中雁荡和平阳县的南雁荡，并称“东瓯三雁”，其中尤以北雁荡最为驰名，有“东南第一山”之誉。北宋沈括说：温州雁荡天下奇秀！近世康有为也赞叹：“雁荡山水雄伟奇特，甲于全球。从古至今，多少文人墨客，为之倾倒。”

雁荡山羊角洞

　　雁荡山也是一座文化名山。它不仅有佛寺、道观，还有始建于宋代的会文书院，在历史上享有盛名。明代叶澄等许多古代画家都曾以饱满的热情，描绘过雁荡山的美丽风景。今人潘天寿等艺术家也与雁荡山结有不解之缘。潘先生的《小龙湫下一角图》、《雁荡山花》等作品，深为人们所喜爱。

　　"不游雁荡是虚生"，千百年来，人们踏遍了雁荡的大小峰峦，命名了金山三百多个景点，划出灵峰、灵岩、大龙湫、雁湖、显胜门五个景区。东南部的灵峰、灵岩、大龙湫风景最为集中，被称为"雁荡风景三绝"。

"雁荡"一名有由来

　　"雁荡"之名源自雁湖。雁湖在雁荡山主峰雁芙岗上。湖中芦苇丛生，结草成荡，南来北往的大雁常来此栖宿，唐初始名雁湖。

　　传说雁湖由一位叫阿嘎的少年所挖出。那时，每天都有许多大雁成群结队从山顶飞过，经常聚集在山顶上歇息。阿嘎见大雁们飞得浑身大汗，就下决心在山顶挖个湖，让大雁们洗澡、喝水。不知过了多少个日夜，阿嘎终于挖出了三口湖，并在湖边种上了芦苇。以后来这里洗澡的大雁越来越多。但有一天，大雁们飞来时，却不见了阿嘎，湖水一片污浊。原来是一条恶龙霸占了雁湖。大雁们愤怒地同恶龙搏斗，最后把它压在了山岩下。现在的雁芙岗上还有三口湖，但已无水，因为湖水已被恶龙喝光。

峰岩竞奇多传说

　　雁荡的峰峦千姿百态，"分岭献万状，转盼无一同"。著名的有卓笔峰、独秀峰、玉女峰、双鸾峰、金鸡峰、双笋峰、展旗峰、巨柱峰、剪刀峰等。

雁荡山夫妻峰

在飞泉寺附近，有一块巨大的石岩，形似一个身披袈裟的僧人拱手肃立，迎接各方来客。此巨岩被称为"迎客僧"。

相传有位子云法师，原是昆仑山管理灵芝仙草的白鹤童子下凡，云游来到雁荡山，住在飞泉寺中，天天巡山探壑，斩妖灭怪，被玉皇大帝封为"雁荡迎客僧"。后来昆仑山上的南极仙翁命他返回仙山看守灵芝。法师不舍得离开雁荡。仙翁笑道："既然你如此喜爱雁荡，我就留下你迎客的一片情意吧！"子云升到空中，回头一瞥，见一高大的石头僧已站在飞泉寺旁，那便是老仙翁留下的迎客僧。

高约270多米的灵峰，自地下望去，高入云天。从左侧的石路上看，它却变成了两座山峰，似双手合掌，故称"合掌峰"。在明月下望去，则又酷似一男一女相偎在一起，因此又称"夫妻峰"、"情侣峰"。

相传很多年前，灵峰寺附近的张天官与石将军包办下了儿女的亲事。但张天官因儿子相貌丑陋，生怕石小姐瞧见后毁约，因此在结亲那天，采用"以李代桃"之策，命天府中的仆人代新郎交拜天地。结果弄假成真，小姐爱上了仆人。他们双双逃出天府，官军在后紧追。正巧观音经过雁荡，见此情景，说："善哉！善哉！我叫你俩夜夜夫妻恩爱，日日合掌朝人拜。"把手一拍，山上现出一块大岩石，正像相依相偎的一对情人。这便是后来的"夫妻峰"。

仙气缭绕显胜门

显胜门由两座对峙的山峰组成，亦称仙门。两山各高200多米，峰顶十分奇险，"非中午、夜分，不见日月"，因此叫显胜门。其右侧峭壁上有一石洞，洞中下垂三柱钟乳石，因貌似《西游记》中孙悟空、唐僧、沙僧，称石佛洞。

显胜门内的很多景名都带有仙字。相传王子晋成仙后，常常骑鹤吹箫，云游各地。他曾飞过雁荡上空，不忍离去，便登上一座高峰，走过一座石桥，吹起玉箫来。一连吹奏了九支曲子，在山脚下的溪涧中洗涤了玉箫，骑上白鹤，驾云而去。后人便把此山定名为"仙亭山"，山的高峰称为"吹箫峰"，山上的石桥称为"仙人桥"，附近的山洞称为"仙人洞"，山下的溪涧称为"仙溪"。

传说八仙之一的铁拐李受玉皇大帝指使，来人间采集佳果珍品，筹办瑶台盛会。当他路过雁荡时，被美景所迷，歇下担子，用手一指，山峦中开出一道门。铁拐李飞进石门，游雁荡山水去了。此门即后来的"显胜门"。

玉皇大帝不见铁拐李的音讯，便派韩湘子来找。往日韩湘子的笛声一响，各位神仙就会聚集而来。可这次他吹破了笛膜，仍不见铁拐李。一直走到雁荡山，才发现了铁拐李的独脚印和那担果子。于是顺着脚印，找了进去。不过他和铁拐李一样，也流连忘返。雁荡

雁荡山仙人桥

山上的仙岩，又叫百丈岩，据说就是铁拐李当年歇放的那担果品；还有一座仙杖峰，则是铁拐李遗忘的仙杖。在今龙西对面的万山丛中，还能看见一个拱手吹笛的石人，这就是韩湘子。据说在明月之下，人们还能听到悠扬的笛声哩。

[儒雅谢公遗清风]

雁荡"万条流泉千条瀑"，最奇的是大龙湫。它终年奔腾不息，四个季节呈现着迥异的风光。大龙湫注入锦溪，又与多处细流汇合，在东南峡形成筋竹涧。

谢灵运任永嘉太守时，曾到过筋竹涧。这里以水景为主，全涧有菊英、峡门、漱玉、连环等十八潭和涌翠等瀑布。涧两岸山岩相错，岚影山光，别有幽趣。谢灵运赋诗云："猿啼诚知曙，谷幽光未显，岩下云方合，花上露犹泫。逶迤傍隈隩，迢递陟陉岘，过涧既厉急，登栈亦陵缅。"

传说谢灵运游筋竹涧时，惊动了雁荡山下的一位财主。这位财主平素在村子里横行霸道，这时却现出一副奴颜媚相。他办了一席山珍海味，一心要巴结上这一府之主。但谢灵运不爱权贵，更讨厌阿谀小人，拒绝赴宴，径自翻山而去。财主见谢灵运攀登山岭后汗流满面，便尾随着为谢灵运挥扇。谢灵运却冷冷地说："山风习习，已够凉爽，不必多此一举。"走到一块岩石上，脚一歪，登山屐的木齿碰坏了，掉到了山下。谢灵运脱下木屐，换上一双布鞋继续登山。不一会儿，只见财主拎着谢的木屐赶来："太守，您把木屐忘了。"谢灵运厌烦地说："无齿的东西，要它何用？""无齿"与"无耻"音

270

小龙湫下一角图
潘天寿

同，财主顿时羞得满脸通红。

后人为纪念谢灵运，就把他翻过的这座山岭叫做"谢公岭"，并在他当年掉木屐的山坡上建"落屐亭"。

|楠溪江|

[岂但风景佳　习习邹鲁风]

国家重点风景名胜区楠溪江位于浙江省南部的永嘉县境内，以水秀、岩奇、瀑多、村古、滩林美而名闻遐迩，是我国国家级风景区当中惟一以田园山水风光见长的景区。

如诗如画楠溪江

楠溪江水系呈树枝形，居中的大楠溪是干流，两大支流小楠溪和珍溪分布于东西侧。东临雁荡山，西接括苍山，南缘有瓯江汩汩流过。楠溪流域青山层叠，碧水萦绕，鸥鸟出没，物产丰富。据说楠溪江是因当地人将盛产的"杨梅"叫做"楠"而得名。

最早道出楠溪江之美的大概是中国最早的山水诗人谢灵运。刘宋永初三年，谢灵运任永嘉太守。在楠溪江"肆意游遨"中，他写下了中国第一批真正意义上的山水诗，其中《登永嘉绿嶂山》、《登石门最高顶》、《从斤竹涧越岭溪行》等描绘的都是楠溪江的秀色。

"由是此郡山水闻于天下，天下之士行过是邦者莫不俯仰留连，吟咏不辍，以诧其胜。"（乾隆《永嘉县志·舆地》）这些"天下之士"中，有萧梁时继谢灵运任太守的丘迟，他写过"暮春三月，江南草长，杂花生树，群莺乱飞"的千古佳句。萧梁时的陶宏景和楠溪江也结有不解之缘，他在楠溪江青嶂山写了《诏问山中何所有赋诗以答》一诗："山中何所有，岭上多白云。只可自怡悦，不堪持寄君。"诗中"岭上多白云"是对齐高帝诏书的回答，也是对楠溪江青山绿水及文人雅士高洁气质的概括。青嶂山由此有了白云岭之称。他在《答谢中书书》中，更具体地描绘了楠溪江的山川之美：

> 山川之美，古来共谈。高峰入云，清流见底。两岸石壁，五色交辉。青林翠竹，四时俱备。晓雾将歇，猿鸟乱鸣，夕日

楠溪江鹤盛溪

楠溪江晨曲

欲颓，沉鳞竞跃，实是欲界之仙都，自康乐以来未复有能与其奇者。

同时人写的《大箬岩记》又说，陶弘景曾在小楠溪上游的大箬岩隐居。所以大箬岩有陶公洞，附近也有白云岭，不远的水云村还为他造了一座白云亭。其后，唐代诗人孟浩然、宋代文豪苏东坡也都曾在楠溪江留下履痕和诗句。"自言长官如灵运，能使江山似永嘉"，苏东坡此诗的深意，当永远为后人体味。

楠溪江风景区现已辟为大楠溪、大箬岩、石桅岩、四海、北坑、水岩、陡门七大景区。

大楠溪景区亦称楠溪江及沿江农村文化景区或岩头中心景区，主要景观在岩头镇，并包括沙头镇和渠口乡境内的沿江滩林、奇峰和古村。

大箬岩景区在大箬岩镇，主要景点有传为陶弘景隐居的道教"天下第十二洞天福地"陶公洞、十二峰、六螺山、九漈石门台瀑布群、芙蓉山崖以及13公里水碧山青的小楠溪画廊等。

石桅岩景区位于鹤盛乡。主要景观石桅岩为一座拔地而起的孤岩，相对高度306米，三面环溪成峡，被誉为"华夏之冠"。清潭秀水的小三峡、小巧玲珑的水仙洞、奇峰突兀的双笋峰，也都有诱人的风姿。富有神奇色彩的观音洞、红岩、陶姑洞、百丈岩、龙宫等，更有一种迷人的魅力。

四海山景区是楠溪江源头所在地，以自然古朴、生态条件好为特色，主要景观是林海、花海、雾海、雪海等。

其他北坑、水岩、陡门三大景区也各有特色。

宋时已称小邹鲁

楠溪江流域文化特色鲜明，文化积淀深厚。早在五千年前的新石器时代，瓯越先民就已在这里繁衍生息，至今仍保留有他们的文化遗迹。至春秋战国年代，"剪发文身，错臂左衽"的"瓯越之民"已进入司马迁的视野，《史记·赵世家》中已有他们的记载。西汉初年，这里建立了东瓯国。后被朝廷改设回浦县，属会稽郡，至三国属临海郡。

晋室南渡之后，江东人口大增，楠溪江中上游逐渐得以开发，沿江谷地和盆地里陆续建起一个个村落。东晋明帝太宁元年设永嘉郡。先后出任永嘉郡守的东晋大文学家、大书法家王羲之，注《三国志》的刘宋史学家裴松之、玄言诗人孙绰、诗人颜延之，中国第一位山水诗人谢灵运和萧梁文学家丘迟等，给永嘉和楠溪江流域的发展，创造了极好的条件。

宋室南渡偏安，又有张九成、王十朋、楼钥、杨简等著名的诗人、学者任郡守，使东晋以来的人文传统得以发扬光大，使楠溪江的文化进入最灿烂的时期。清乾隆《永嘉县志》转引《旧志》说："晋立郡城，生齿日烦，王右军导之以文教，谢康乐继之，乃知向方，自是家务为学，至宋遂称小邹鲁。"清代咸丰年间县令汤成烈编纂的县志稿中对"小邹鲁"有生动的表述：

永嘉在宋有邹鲁之风，维时士大夫先达者多从二程、朱子游，居乡恒以讲学为业，故能诱掖后进，式化乡间，薰为善良，浸成风俗。户有弦诵，邑无巫觋，人怀忠信，女行贞洁。冠昏丧祭，厚薄适中，奢俭当礼。疾病不祈祷，婚配不听星命。岁时娱乐，弛张合宜。其于养生送死之制，盖秩如也。

由于文风炽盛，楠溪江历代人才辈出。从唐至清，永嘉共有过604位进士，宋代占513位，南宋一朝就出了464位，其中确实可考

为楠溪江人的至少有50多位。在宋代,楠溪江豫章村胡氏有一门三代五进士,溪口村戴氏有一门四代六进士,花坦村朱氏和塘湾村郑氏都有兄弟进士。至于进士以下的科甲成就,各村就更多。诚如谢氏宗谱序所说:"诗书继美,比户可封;游庠之士,指不胜屈。"

宋代的楠溪江不但在科名上"鹊起蝉联",而且在学术上颇有建树。永嘉在北宋有程(程颐、程灏)门弟子13人,南宋有朱(熹)门弟子16人。溪口村的戴述、戴迅、戴栩、戴蒙、戴溪、戴侗和塘湾村的郑伯熊、郑伯英、郑伯海,都有理学著作传世,正史中有他们的传记。据乾隆《永嘉县志》载,朱熹在任两浙东路常平盐茶公事时,曾遍访楠溪江刘愈、戴蒙、戴侗、李时靖等"以理学鸣于世"的弟子,并在蓬溪留下诸多手迹。在当时如此僻远的楠溪江里的小小山村,能与当时的主流文化保持着这样的关系,实在是不可多见。

然而,世事沧桑,宋末元兵的大肆烧掠和清初官兵的剿杀,严重地破坏了楠溪江流域的经济和文化。至明,何文渊和文征明之父文林任郡守时有所振兴,但终难有宋时气象。好在数百年的人伦教化毕竟形成了化于自然、溶于血液的人文传统,而今又逢开明盛世,楠溪江之全面振兴当可预期。

275

[天人契合处　古村若繁星]

楠溪江风景名胜区，是山水文化与古村文化的高度结合，耕读文化与宗族文化的相互交融，人类生活与自然环境的无限默契。它犹如一件巨大的艺术瑰宝，天生丽质，至真至美，令中外无数游客喜爱和迷恋，并在如何处理天人关系等方面给今人以深刻的启迪。

其中，多如繁星的古村无疑是最亮丽的风景。

难得的独立文化圈

据专家考察，在楠溪江中游不大的范围内，散布着二百多座单姓的血缘村落，真可谓多若繁星。优越的地理位置和悠久的历史文化，使得这些古村落有着极其鲜明的特色，成为难得的独立的文化圈。

其一，早在宋代，在村落的规划上就有明确的思想，讲究阴阳五行、"气论"、"八卦"等风水理论，追求"天人合一"的境界，从建设布局到房屋个体型制都有不同于江南其他各地的特点。

其二，村落以血缘维系，一座村落一般就是一个宗法共同体，寨门水口、宗祠庙观是必不可少的代表家族血脉的标志性建筑，宗祠祭祀是村落里最有特色的风俗活动。

其三，"耕读传家"的生活理想根深蒂固，荒山野林里的小村也会有书院，出过进士。教子弟读书，是宗族共同大事。

楠溪江村落中各姓的宗谱里毫无例外地都把亦耕亦读的生活理想写进家训或族规，都规定了延师办学、鼓励并资助子弟读书、贴补考试费用等，为这些开销专设了公有的学田，永世不得变卖。

在楠溪江众多古村落中，保存比较完好的具有代表性的有岩头、苍坡、芙蓉、枫林、鹤盛、蓬溪、花坦等村。这些村落均为浙江省历史文化保护区。

芙蓉：七斗八星多俊彦

芙蓉村位于楠溪江中游，岩头镇以南、永仙公路西侧。村西南的青山上三峰突起，状若含苞待放之芙蓉，故取名为芙蓉峰。村中一大水池，每天傍晚芙蓉峰便倒映水中，村以此得名。池中建有很

溪口村明文书院
(原名东山书院,
南宋进士、曾任
太子耕读的著名
理学家戴蒙辞官
回乡创办。后因
宋光宗钦赐"明
文"二字匾而改
为"明文书院"。)

坦下村寨门谯亭

端庄的芙蓉亭。

俗话说："山川秀丽，必有俊彦。"古时芙蓉村的年轻人多是牛角挂书，亦耕亦读，村里出过进士，大宗祠里还挂着一块金龙盘边的状元匾。南宋时，小小芙蓉村还曾有"十八金带"，即同时有十八人在临安做官。于是，又有人说芙蓉峰像乌纱帽，村前的小溪则是玉带。

芙蓉村有名士也有志士，南宋咸淳元年进士陈虞之即是其一。据明弘治十年（1497）《陈氏宗谱》载："唐末，为避乱世，有陈氏夫妇，从永嘉县城北徙，沿楠溪江就深山坳里，至芙蓉峰旁，只见

芙蓉村芙蓉池芙蓉亭

278

芙蓉村陈虞之塑像

此地前横腰带水，后枕纱帽岩，三龙抢珠，四水归塘，于是筑屋定居。"至南宋末年，元兵南下，陈氏后裔咸淳元年进士陈虞之起兵勤王，率全村义士八百多人据守芙蓉峰，困崖三载，终因弹尽粮绝，自刎殉国，义士全部殉难。

芙蓉村被元兵烧为废墟，元末明初重建。世祖为吸取教训，把原分散的田园小村集为一寨，并在寨外围修一至二道石砌寨墙，墙上开铳眼，四向设七个造型各不相同的寨门。东门是村子的正门，两层楼阁，很有气派。进门左边是陈氏大宗祠，右边是戏台。

村落平面呈方形，坐北朝南，寓以"七星八斗"格局。"星"指道路交汇处方形平台；"斗"指水渠交汇处方形水池。"七星"翼轸分列，"八斗"呈八卦状分布，道路、水系皆结合散布的"星"、"斗"

而形成系统。这种布局隐喻村寨可纳天上之星宿，望子孙后代人才辈出如繁星，而且还突出"利为战"的目的：其"星"可作战时指挥台；其"斗"贮水，以利战时以水克火，可防火攻。整个村子布局非常得体，很好地兼顾了耕读、迎贤、尊仕、拜祖、祭祀、拒敌、防火、调节气温、美化村容等多方面的功能。

芙蓉村民居建筑富有特色，与周围的山水环境高度和谐，粉墙乌瓦，常用挂柱出檐深远，高低错落，疏密有致，粗犷干砌的石墙勘脚大小、色彩富变化。1991 年列为浙江省历史文化保护区。

苍坡：笔墨纸砚写春秋

苍坡村位于楠溪江中游，岩头镇以北。初建于五代后周显德二年（955）。始迁祖为避闽乱，从福建长溪徙居永嘉灵山，被周家招为女婿，后东迁约一公里，建宅于今址。原地名苍墩，因避讳宋光宗（赵墩）而改为苍坡。宋仁宗至和二年（1055）第五世祖时，人丁兴旺，分为东宅、西宅和麻溪园三地段，各设祠堂，并在村口建李氏大宗。

宋建炎二年（1128），第七世祖李秋山迁居方巷，与弟李嘉木情深义重，故在村内建望兄亭，在方巷建送弟阁，亭阁相对，相互迎送。宋孝宗淳熙五年（1178），九世祖请国师李时日商讨建村规划，依五行风水说，在东方建双池储水，四周开渠引溪环绕以水克火。后鉴于村西有一座山峰尖尖似笔架的山，又依"文房四宝"布局。村子的主街正对笔架山，称笔街，笔尖直指西面笔架山；村内开两池，命名为砚池，在砚池边沿用条石砌筑砚槽；西池北岸置三根几米长的大石条，即为墨锭，其中一根似已研磨过，端头有点斜；笔街以北，方方正正的村落便是供文笔蘸墨书写的笔纸了。其规划布局可谓独具匠心，寓意深远。

　　双池之间设有宗祠、仁济庙、大阴宫等临水建筑，造型端庄秀

苍坡村望兄亭

丽。村宅平面呈方形，民居平面有一字形、H字形、口字形等各种
形式，立面有单层式、二层楼阁式，主次分明，搭接自如，造型舒
展，古朴自然。

岩头：丽水常忆桂林公

岩头村位于县城北向，距县城38公里。为金氏大族祖居，坐西
朝东。初建于元代延祐年间（1314—1320），竣工于明代初年，占地
面积18.5公顷，是楠溪江中游最大的古村落，也是楠溪江两岸惟一
有商店的村落。

村落布局是古色古香的街区式三进两院四合围式的建筑群，具
有远近总体规划和详细局部规划，这在古代村落规划中是难能可贵
的典范。有人说它是"护城湖中栽荷花，绿树丛中隐古塔；杨柳紫
薇落湖堤，上下花园红间绿；横巷直街行方便，三进两院大住宅；房
前屋后清泉水，亭台楼阁巧安排。"此话并非虚夸。进献义门，向南
一拐，便是一条三百米长的丽水街。此街本是兼作拦水坝的寨墙，叫
长堤。丽水湖便是由它拦蓄而成的。初时河埠作为子弟们演习骑射
之用，以防萎弱；而且事关风水，规定只许种花建亭，不许筑屋经

商，故街上有建于明嘉靖年间的桥、花亭、塔湖庙等。可是后来四处商贩陆续云集，街边悉为商店，风水迷梦也就破了。沿丽水街而行，过桂花街口至中央街南端，有建于明朝、专祀桂林公的水亭祠。它本来是桂林公造的书院，和文峰塔、文昌阁呼应。明代桂林公在这里完成了从村北五瀛溪引水进村的工程。这项工程，是楠溪江中游最大最成功的水利工程，快五百年了，至今仍滋养着全村人。至横街东行北向是花坛街，此街路面全系小鹅卵石所筑，砌成各种龙凤、八卦金钱等图案，独具特色。北行进士街，有明嘉靖皇帝所敕

岩头村丽水街

283

建的进士牌楼。往北是仁道门，为纪念始祖广施仁德、赈济灾民的义行而建的门楼。

蓬溪：水聚天心笔入池

　　这个村子，来历相当久远。在楠溪江写下中国最早一批山水诗、曾任永嘉太守的谢灵运，在南朝宋文帝元嘉十年于广州被害后，他的次子扶柩回永嘉，并定居于温州。越二十世至北宋，其裔孙谢选因见鹤阳之胜，乃迁居鹤阳。鹤阳村在楠溪江中游鹤盛溪畔。子孙蕃衍，整个楠溪江流域有谢氏村落20多个，蓬溪村即是其一。谢村里有纪念先祖的谢氏祠堂，这是分祠；总祠在鹤阳，那里供奉着谢灵运的神主。

　　蓬溪村位于东皋与鹤盛之间，距县城60公里。东西南三面环山，北临鹤盛溪，隔溪有低丘为屏障，溪水绕障而行，形成东西两个门户，俨然一个世外桃源。

　　谢氏未来之前，蓬溪为李姓人居住。南宋时，出了一位状元李时靖，现古宅北侧仍留有状元街。《永嘉县志》载，朱熹在浙江东路常平盐茶公事任上，曾经拜访过蓬溪学仕，并留下多处墨迹。据说属朱熹的墨迹，一处是凤凰屿南麓的两块大石壁上"把钓"和"索觞"刻石，似是久蚀后重剔过；一处是一座住宅砖门上的"近云山舍"四字；一处是村口船崖上石刻"钓台"二字和一首诗："观鱼胜

濠上，把钓超渭阳。严子如来此，定忘富春江。"最后一处1985年炸
崖修路时已全毁。村内还有李状元府邸、大小宗祠及大量木构清宫
式民居。

　　蓬溪村有纪念谢灵运的康乐亭，可惜里面康乐公的肖像也已现
代化了。亭前为一条主街，街西为建筑区，街东是山水所汇之潆湖，
有"水聚天心"的风水。湖中央有小岛一座，名凤凰屿。岛外东南
方有正在巽位的文笔峰，文笔峰倒映潆湖中，形成"笔入砚池"的
景观和吉兆。街西正对着文笔峰的有谢家祠堂和存著堂。

　　蓬溪村的民居多内向，院落谨严，平面有三合院式或四合院式，立面有两层楼阁式；四面板壁、檐口低矮、出檐深远，并留有方形木墩为柱础。许多古舍用蛮石原木，经几片粉壁勾勒衬托，显得简洁古朴而意韵淳厚。

| 泰　顺 |

[悠悠历史桥上过]

　　泰顺地处浙江南部山区，该地"九山半水半分田"，早年是人迹罕至的荒蛮之地。然而，随着历史上一些为避祸乱的名人贤士的到来，先民们就是在这样的地方营建了曾经令外人惊羡的"世外桃源"，创造了具有山区田园特色的灿烂文化。

　　在泰顺珍贵的历史文化遗产中，最杰出的代表就是廊桥。据《泰顺县交通志》载，截至1987年，全县现存桥梁累计958座，其中解放前修建的为476座。而最具历史价值的是明清廊桥30多座。据专家评价，明清廊桥中有六座木拱廊桥不仅在中国桥梁史，而且在世界桥梁上占有重要地位。它们是三条桥、泗溪姐妹桥、三魁薛宅桥、筱村文兴桥及仙居桥。

　　泰顺桥梁不仅数量众多，结构类型也丰富多彩。大类型有木拱

泰顺三条桥

泰顺泗溪上桥

泰顺毓文桥

廊桥和石拱廊桥两种。大多数桥梁又有两个共同的特点，其一是，桥
下设有滚水坡，一坡接一坡，既蓄水节水，又是山区颇具特色的景
观。其二是，桥上有廊檐，故名"廊桥"。这个"廊"字，里面蕴含
着深厚的历史文化内容。早先的泰顺，村居分散，山路崎岖，人们
出外行走很少能见到人烟。泰顺的先祖们便在交通要道上按一定里
程设立一座风雨亭，供行人歇脚避雨。泰顺桥多，在桥上建造风雨
亭，不但供人歇脚，而且还起到保护木构桥梁的作用。

　　泰顺的民居也很有特点。由于先祖来自不同的地方，古民居的
形制也丰富多彩。其中具有代表性的有三类：一类是以三合院、四
合院为平面布局的单体和群体建筑。现存较为完好的有雪溪乡的清
代建筑胡氏大院等。胡氏大院巧妙地利用地势的高低起伏，使房屋

的平面布局呈棋盘式：两个三合院并肩，中间建两道横墙，若"楚河汉界"。另一类是以百丈口商业区为代表的依山而建的吊脚楼。往往前排人家的楼上后门就是后排人家的前门，层叠而有序，颇为壮观而又独具特色。还有一类是源自闽地文化的土楼形制。较为典型的是上交村曾氏所建两层单体土楼。曾氏世居闽地，清嘉庆年间因防盗贼为害而建此楼。庵前张宅村的"七榴"（即七开间）、"九榴"也保存得较为完好。张宅村原由张氏祖屋底厝及各房宅院和宗祠组成。该村背依东山，面向平野，村前有武水缓缓流过，田野的尽头又是山脉，正合风水术中的"背山、面水、案山"。与张宅村遥相呼应的三魁镇下武村家厝也有古屋保留。

| 大济古村 |

[神秘大济：光环与谜团]

　　大济村地处浙南庆元县，依山而建，林木葱茏，是一个与大自然十分亲和的山村：红尘深浮皆烟云，何如身为山中人！

　　然而，大济的魅力远不止于此。历史遗留给它的光环和谜团，也足以令人驻足和神往。

大济村全景

大济村方圆不过1公里，人口不足三百人，可是自宋至明，竟先后产生过26名进士以及非进士出身而涉足仕途者百余人，故被誉为"进士村"。这个耀眼的光环，至今还可以从接官亭、双门桥、明清古居及村民的眼神中看到它的余辉。

接官亭在村口，楼高二层，双重飞檐，雕梁画栋，要不是当年常有锦衣还乡之贤达，岂能有如此之气派？双门桥建于宋天圣二年(1024)，桥身全部用圆木栱架搭建，没有用一颗钉子，却经历了近千年的风雨！该村吴毂兄弟同中进士及第，人谓"双门进士"，这在当时是无上之光荣。衣锦还乡的吴氏兄弟特建此桥以光宗耀祖，取名"双门桥"。该桥长11.5米，宽4.5米，共5间廊屋，两头出口如两扇门朝外洞开，成牌坊式结构，其象征意义十分明显。

作为宝贵的文化遗产，大济村保留完好的明清古居尚有二十余幢。其中最早的是吴顺聊建于元末的邑清楼。该楼为二层穿斗式梁架，以珍贵的福建柏为材。此外，吴道揆建于明万历十二年(1584)的聿新堂以及怀德堂、世德堂、裕德堂也都是明代建筑。清代的民居则有树德堂、修德堂、慎德堂、达德堂等。这些明清古居都有一个牌楼大门，古朴壮观，雕刻精美，显示出山野里难得的气派和荣耀。

和光环缠绕在一起的，是诸多难以破译的谜团。

谜团之一：大济这样一个小小的村庄，为什么会出现这么多的

"进士"和名人？有当地长者说，这要归功于启基先祖十分重视耕读文化，办学化民，可是宗谱并不详载。

谜团之二：村外回龙山西麓有座为纪念古代神医而建的卢福神庙（亦名扁鹊庙），庙内保存有一百份用药处方，经专家研究，确认这些处方颇有医学价值，堪称古代医学的精华。那么，这些医方究竟出自哪位或哪些神医之手？此庙为何称"卢福"、"扁鹊"？

谜团之三：村子有条通往县城的古道，长2.5公里，路面皆用青砖和鹅卵石"人"字型嵌砌。据说此路建于明代中叶，可是据专家鉴定，其青砖属香糕砖，有南宋遗风。孰是孰非，亦无文献可考。

谜团之四：大济村东部边缘地带约2万平方米的地下，纵横交错地分布着许多地道。这在江南地区可能是仅见的。迄今已发现7处地道口，这些地道口多设在古街或老屋的石基或墙基上，有通往屋内和村落边缘地带两种。地道下部用卵石砌筑基础，上部用平砖错缝纵间叠砌，顶部用扇形拱砖筑成拱圈。洞壁上设有台灯，人在里面可以站直身子。据大济村《吴氏宗谱》推测，最早的地道可能建于宋末元初，宋将亡时，一些在朝当官的大济村人回乡尽忠，筑地道以抗强元。但宗谱语焉不详，无法确证。宗谱还提到，大济村吴氏族人吴道揆在朝遭谤，辞官回乡后修建了学圃，并开了4条地道。

大济村卢福神庙

可是人们在他的聿新党只发现了一处地道口，其余几处何在？他为何要修地道？这些也都是一个谜。

石 塘

[五彩的石头世界]

如果没有 2000 年 1 月 1 日 6 时 46 分——新千年和新世纪中国大陆的第一缕阳光首先照在这里那一个黄金般的时刻，如果没有同一

时刻在这里举办的"中国千年曙光节"和"中国新世纪曙光节",肯定很少有人知道浙江温岭市东南沿海海角有石塘这样一个小镇,更不用说成为著名旅游胜地了。

然而,这并不是说石塘原本不具备文化旅游价值,事实上它早就该受到人们的关注了。

石塘是一个古老的渔村集镇,由一个半岛和十余个岛屿组成。该村由明末避风至此的福建惠安渔民始建。当时岛上的主要资源只有石头。石塘的先祖们就开岩凿谷,筑石屋,垒石墙,修石路,砌塘堤。……石头和先祖们的智慧、汗水,成就了他们的镇名。《台州府志》载:"塘多泥筑,少石砌者,惟此塘独砌以石,故即以为全岛总称。"同时,也造就了石塘独特的美:西北以石塘山为屏,三面环海,镇中房屋、道路等皆依山而建,方圆四五平方公里的山岙里,"屋咬山,山抱屋",千姿百态的石屋,仿佛是大海边气势磅礴的群雕,笑迎海风万里,看海鸥飞翔,送渔帆远航……这在温润的越地,是一幅多么另类的风景!

石头造就的不仅有壮美、阳刚,也有巧手慧心的柔美。那花岗石雕出的千姿百态的窗格图案,那屋顶黑瓦和压屋白石编织的对比鲜明的花边,难道不是和西湖丝竹一样柔美的乐曲?

黑瓦白石的交响

当然，令人流连回味的还有渔村的风土人情。在那里，帆船必须叫"篷船"，因为"帆"与"翻"同音，出海打渔最怕的就是翻船。同理，"洞"字、"撞"字都说不得。出海前，忌妇女上船；归来后，要喝加鸡蛋、红糖的鸡子酒……不管人们对此怎么评价，反正石塘的渔民传统就是这样。和出海打渔忌讳妇女上船不同，在演出一种据说有千年历史的舞蹈"大奏鼓"时，都是男性的表演者却都穿着女性服装，表演时除领头的做男性动作外，其余都模仿女性动作起舞，不知是不是一种对女性的肯定和补偿？此外，六七岁俊男玉女扮成戏曲人物模样坐轿的"扛台阁"，以及七月七日家家做纸亭的"小人节"，也都饶有意趣。